講談社文庫

蒼穹の昴 1

浅田次郎

講談社

目次

蒼穹の昴 1

第一章 科挙登第――7
第二章 乾隆の玉――256

次巻　蒼穹の昴 2

第二章　乾隆の玉（承前）
第三章　河北の太守
第四章　皇太后宮へ
第五章　謀殺

蒼穹の昴　1

清朝関係略系図

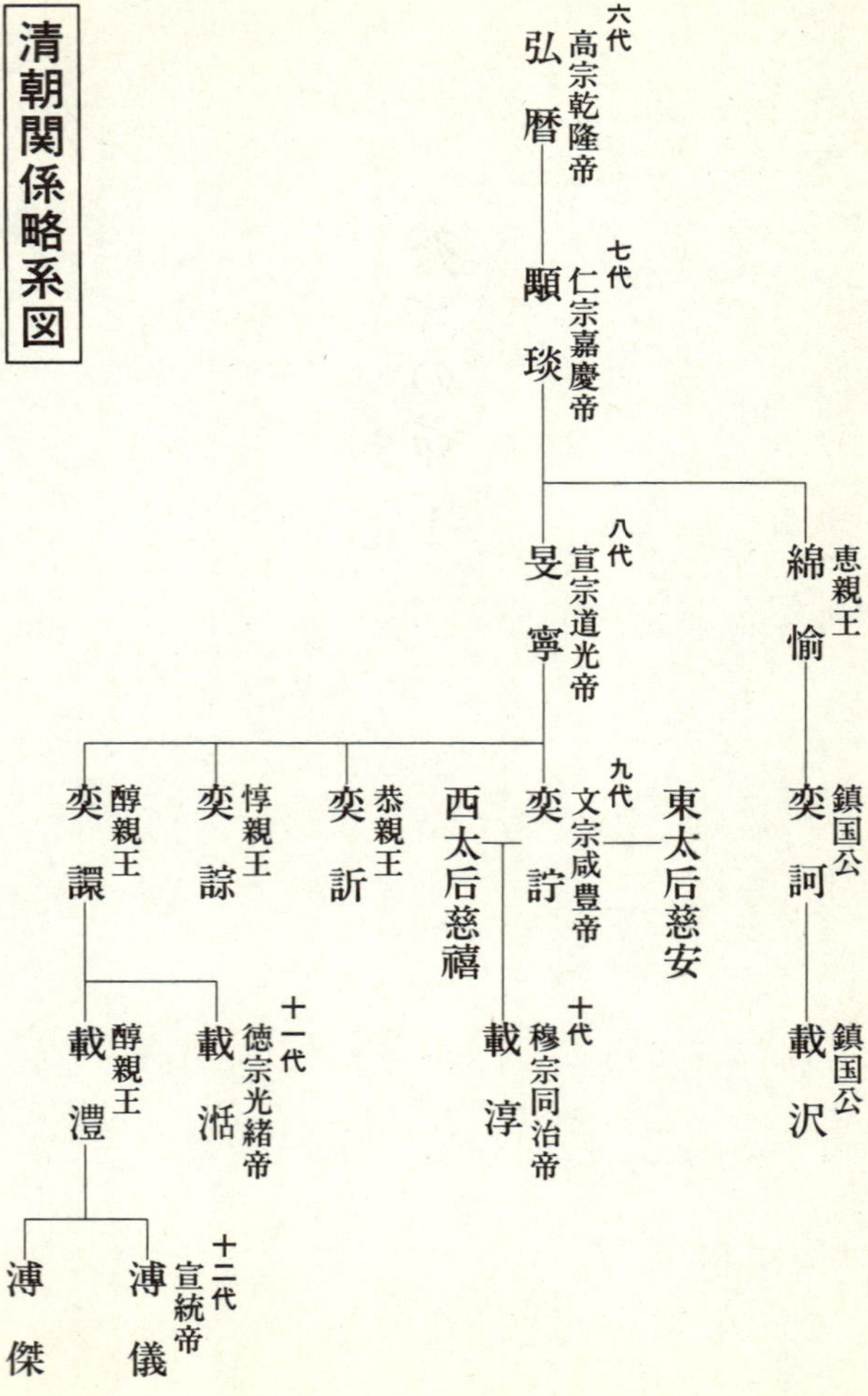
六代
高宗乾隆帝
弘暦
七代
仁宗嘉慶帝
顒琰
八代
宣宗道光帝
旻寧
恵親王
綿愉
九代
文宗咸豊帝
奕詝
東太后慈安
西太后慈禧
恭親王
奕訢
惇親王
奕誴
醇親王
奕譞
鎮国公
奕訶
十代
穆宗同治帝
載淳
十一代
徳宗光緒帝
載湉
醇親王
載灃
鎮国公
載沢
十二代
宣統帝
溥儀
溥傑

第一章　科挙登第

一

大清国光緒十二年・西暦一八八六年　冬

梁家屯《リアンジアトン》の貧しき寡婦の倅《せがれ》、李春雲《リイチュンユン》よ。

畑もなく鍬《くわ》もなく、舟もなく網もなく、街道に凍《い》てたる牛馬の糞を拾いて生計《たつき》となす、卑しきやつがれ、小李《シャオリイ》よ。

聞かずとも良い。知りたくば耳をそばだてよ。

媼《おうな》の声は病に衰え、汝《なんじ》の耳は瘡《かさ》に被《おお》われておる。
よし聴こえずともかまわぬ。わしは汝の宿命《さだめ》をありていに語り、汝はそれに随《したが》う
しかないのだから。
貧しき李《リイ》家の四哥哥《スーコオコオ》、小李《シャオリイ》よ。
汝の生まれたるは光緒二年十月十一日。その夜の二十八宿星のありかを記《しる》したる
蓋天図《がいてんず》がこれにある。
わからずとも良い。これこそが母の胎内より汝の生まれ落ちたる刹那《せつな》の、空を蓋《おお》
いたる星々の姿ぞ。
汝の守護星は胡《えびす》の星、昴《すばる》。
この夜、天と地を分かつ北斗七星は、その斗《ます》の柄《え》を天の極みに輝く昴に向けた。
天子《ティエンツ》のおわす紫微《しび》の宮宮を、その斗にて掬《すく》い取れとお命じになったのじゃ。
幼き糞拾いの子、小李よ。
汝は必ずや、あまねく天下の財宝を手中に収むるであろう。
堯典《ぎょうてん》に曰く、「日は短く星は昴、以《もっ》て仲冬《ちゅうとう》を正す」、と。
仲冬を告ぐる昴の、孟冬《もうとう》の節気に南中したるは面妖なことじゃ。ましてや北斗の
柄の、汝に捧ぐるが如く回りきたるは。

わしは恐れおののき、祖師より伝わる星宿図を繙《ひもと》いた。その夜その一瞬に生を享《う》けたる赤児の宿命を占《うらの》うたのじゃ。

媼の戯《ざ》れ言と聞き流すのならそれでもよい。

小李よ。胡の星、昴を守護星とし、揺光《ようこう》、開陽《かいよう》、玉衡《ぎょくこう》の三星に支えられた北斗の柄を捧げ持ち、あまつさえ天権《てんけん》、天璣《てんき》、天璇《てんせん》、天枢《てんすう》の四星に象《かたど》られた斗《ます》の、紫微宮に向けて示されたるは、古来、二人のためしがある。

近くは今日かくある大清国の版図を定めたる、高宗乾隆帝弘暦《ホンリイ》。

遠くは遥か虎狼の国に起こって天下に覇を唱えたる、秦の始皇帝嬴政《インチェン》。

怯えることはない。すべては宿命なのじゃ。昴はそもそも天宮を統《す》べる、富と威の星。世界を統べる昴の星。

貧しき寡婦の子、小李よ。

汝は遠からず都に上り、紫禁城《ヅチンチヨン》の奥深くおわします帝《みかど》のお側近くに仕えることとなろう。

やがて、木火土金水の凶々《まがまが》しく合する兵乱のさなか、破軍の星々のせめぎたつ干《かん》戈《か》興亡のうちに、中華の財物のことごとくをその手中にからめ取るであろう。

そう、その皹《あかぎれ》た、凍瘡《しもやけ》に崩れ爛《ただ》れた、汝の掌《てのひら》のうちに。

卑しきやつがれ、糞拾いの子、李春雲《リイチユンユン》よ。

怖れるでない。汝は常に、天宮をしろしめす胡の星、昴とともにあるのじゃ。

——槐《えんじゆ》の枝が風に鳴っている。

温床《オンドル》に腹ばって凍えた頬をぬくめながら、少年は老婆のしわがれた声を聴いていた。

「おかしいよ太太《タイタイ》。この世のお宝はみんな老仏爺《ラオフオイエ》のものだ。それがどうしておいらのものになる」

老婆は汚れた袍《パオ》を引き寄せると肩に羽織り、壁にもたれて身を起こした。

「老仏爺？——誰だい、それは。たいそうな名前だこと」

「知らないの？　太太は先のことがわかるのに、今のことは何も知らない」

「今のことなど知る必要はあるまいて。わしの占いにまちがいはないのだからね」

「それじゃ教えてやるよ。老仏爺は咸豊帝のお后で、先帝のかかさまだ。今上《きんじよう》陛下のおばさまにあたるんだって」

「ああ、西太后《シータイホウ》さまのことか」

老婆は枕元の麻袋からひとつかみの茴香豆《ういきようとう》を取り出すと、春児《チユンル》の掌に握らせた。

「おまえは俐発《りはつ》な子だ。そんなこと、誰に教わったんだね」

「――梁《リアン》挙人《きよじん》さん。べつに教わったわけじゃないけど……」

茴香豆をいとおしむように口に含んだままそう答えて、春児は少し恥じた。「挙人様」に梁家は梁家屯《リアンジアトン》の名主で、その次男が去年の郷試《きようし》にみごと及第した。物を教わることがどれほど畏れ多いか、子供でも知らぬわけはない。

「ほう、おまえはあの変わり者の少爺《シャオイエ》と仲良しなのかね」

「仲良しだなんて……おいらの死んだ兄貴の遊び仲間だっただけさ。だから今でも馬糞をめぐんでくれるし、話しかけてもくれる」

「なるほど。ガキ大将だったあの大哥《ダアコオ》の朋友か」

「おいらはべつに友達じゃないよ。そんなこと誰かに言っちゃいやだよ、太太」

　老婆は肯《うなず》きながら少年を見つめ、溜息をついた。

「俐発な子じゃや。こうして話していても、とうてい十ばかりの子とは思えぬ。おまえがも少しましな家に生れていたなら、挙人どころかきっと末は進士にもなるだろうに」

「だったら今の話も、少しはわかるけどね」

　言いながら、春児は豆をねぶる舌の動きを止めた。

もし仮に、自分が出世してあの老仏爺《ラオフオイエ》のお宝のほんの少しでもめぐんでもらえるとしたら——母も夜詰めで機《はた》を織らずにすむだろう。土饅頭にいけたままの父と大哥《ダアコオ》の墓も建てられる。寝たきりの二哥《アルコオ》は医者に診せて、行く方しれずの三哥《サンコオ》を探すことだってできるだろう。幼い妹も飢えずにすむ。

自分が怯えていることに、少年は気付いた。もちろん老婆の途方もない予言を怖れたのではない。生まれてこの方、ついぞ知らずにいた「希望」という代物《しろもの》が、少年を怯えさせたのだった。

心の殻を割って噴きあがる、赫《かが》かしい、見ず知らずの感触。肉体をゆるがせて溢れ出た精通の瞬間のように、少年はおののいた。

「わしは嘘は言わないよ、小李《シャオリイ》」

希望はたちまち力になって、少年を温床《オンドル》から立ち上がらせた。

「豆が腹に入ったら、何だか力が出たみてえだ」

老婆は笑う。

「そうじゃない。おまえはもう、南天の昴の力に引かれているのさ。茴香豆《ういきょうとう》の一粒で、なんで力なぞ出るものかね」

「それは本当なの、太太《タイタイ》。おいらは金持になれるんか」

「ああ、まちがいないとも。老仏爺のお宝はぜんぶおまえの物になる。翡翠《ひすい》も碧玉《へきぎょく》も、黄金も琥珀《こはく》も水晶も、あそこにあるものはみんなおまえのものさ。嘘じゃない。天がそう決めたのだから」

少年は歓声をあげ、脂じみた袍《パオ》の袖をうち振り、爪先の破れた布の靴で地べたを踏み鳴らした。たしかに見知らぬ力が体に宿ってそうさせているような気がした。

「ありがとう、太太！」

「礼などよい。かわりに糞を置いて行け。じきに火が消える」

老婆は枯枝のような腕を上げ、風の鳴る戸口を指さした。

「さあ行け、小李よ。おまえはまだ幼く、その掌《てのひら》は牛馬の糞にまみれておる。天の決めごとに報いるために、おまえはもっともっと、血と涙を流さねばならぬ。怖れるでない。さあ、行くのじゃ」

春児《チュンル》は凍ったままの麻袋の中味を、そっくりかまどにぶちまけると、金切声をあげて戸外に駆け出した。

街道にはおびただしい氷の粒が、横なぐれの風に舞っていた。

空は青いのに、風は黄色く濁っていた。

糞を求めて歩きつめてきた一里半の道を、春児《チュンル》は村に向かって走った。途中、息をまっしろに凍らせて駅馬がやってきた。いったんやりすごしてから猿のように荷台にぶら下がり、馭者《ぎょしゃ》にも馬にも気付かれずに残る一里をただ乗りした。

対岸に梁《リアン》家の赤い煉瓦塀の続く運河のほとりまできて、春児はまた馭者にも馬にも気付かれずに荷台から飛びおりた。

梁家の屋根には挙人のありかを示す藍色の幟《のぼり》が風に翻っていた。

少し考えてから、春児はつららに被われた木橋を渡った。

家に帰って、母や寝たきりの兄にこんな話をしてもとりあってくれるはずはない。おまけに糞袋はからっぽだ。

梁家の立派な石門から顔だけを覗かせて、春児は邸の様子を窺《うかが》った。

「先生《シエンシヨン》」

小声で呼ぶ。邸は静まり返っている。

半年前までなら使用人たちも笑ってとりついでくれたのだが、当の本人が挙人様になってしまったのだからそうもいかない。

梁文秀《リアンウエンシウ》は梁家屯《リアンジアトン》の田畑のすべてを所有する梁大爺《リアンダアイエ》の次男である。冷飯食いのぼんくらだと噂されていたものが、あれよあれよという間につごう五度にわたる科《か》挙の予備試験を突破し、静海県の生員となり、とうとう直隷省の郷試に及第して挙人様となった。

文秀の悪評と照らし合わせてみれば、それは村人たちにとって信じられないことだし、信じたくもないから、多くの人々はいまだに兄の文源《ウェンユアン》が挙人様になったのだと思いこんでいる。

もっともそう思われても仕方のないほど、この挙人様はいっこうに行いを改めないのだが。

「先生」、とやかましい使用人たちのいないことを確かめてから、春児はもういちど呼んだ。

中庭に面した書斎のはね窓が開いて、弁髪をぐるりと額に巻きつけた梁文秀が、いかにも偏屈な感じのする痩せた顔を覗かせた。

「大爺《だんなさま》は？」

袖を口に当て、声を殺して訊ねると、文秀はにこりと笑って春児を手招いた。

「なにビクビクしてるんだ。おやじならいないよ。兄貴と一緒に県城まで行った。まあ上がれ」

窓枠のつららを叩き折りながら、文秀は言った。また真昼間から酒をくらっている。色白の役者のような顔が、紅をさしたように赤い。

「今さら県知事にかけあってどうにかなるほど科挙は甘くはないのにな。まったくご苦労なこった。弟に先を越されたのが、よっぽどうまくないらしい」

「文源《ウエンユアン》様はここの跡取りだもんね」

「そうさ。もともとできが悪いんだから、あいつはここで年貢の勘定でもしてりゃいいんだ。どだい俺様とは中味がちがうんだよ、中味が」

と、梁文秀《リアンウエンシウ》は窓ごしに春児《チュンル》の頭をごつごつと叩いた。

「ところで何の用だ。糞なら馬小屋で勝手に拾ってけ。うちの馬は飼葉も上等だから良く燃えるだろう」

「いや、そうじゃないんだ。それもあるけれど、おいら先生《シエンション》にちょっと聞きたいことがある」

「何べん言ったらわかる。おまえみたいな学問なしにこむずかしい質問をされたって答に窮するだけだ。まず基礎からやれ、基礎から。上《シャン》、大《ダア》、人《レン》、孔《コン》、乙《イー》、己《チー》、まあ上がっておさらいをしろ。この前の続きだ」

春児は差し延べられた文秀の手を払いのけて言った。

「そうじゃないって。おいら今さっき白太太《パイタイタイ》に、とんでもねえことを聞いちまったんだ」

白太太と聞いて、文秀は露骨にいやな顔をした。

「あのババアの言うことは、いつだってとんでもねえよ」

「それがさ、とんでもねえにも程があるんだ。このおいらが大金持になるって。老《ラオ》仏爺《フオイエ》様のお宝が、ぜんぶおいらの物になるって」

みなまで聞かずに文秀は酒を噴いた。酒まみれになった春児を見ぐだしてしばらく笑い、それからふいと真顔になった。

「ううむ。たしかにとんでもねえ話だ。だが待て、思い当たるふしがないではない」

「えっ、先生もそう思うのかい。わあ、どうしよう、おいら気が遠くなってきた」

「つまり、だ――」

と、文秀は酒まみれの春児を抱き上げて、窓の中にひきずりこんだ。

「あの老仏爺のことだ。もしかしたら……」

「もしかしたら……？」

「たれる糞まで黄金かも知れん。都に上ればおまえもきっと大金持だ。良かったな、春児」

春児《チュンル》はがっくりと肩を落とした。

書斎は足の踏み場もないほど散らかっている。机の上にも寝台にも雑然と書物が積み上げられており、床には酒瓶が転がり衣類が脱ぎちらされている。壁に貼られた世界地図を、春児はぼんやりと眺めた。

「どうでもいいが、その先生っていうのはやめてくれ。おまえにまでそう呼ばれると、何だか馬鹿にされているみたいだ」

「じゃあ、何て呼べばいいの。挙人様？」

「なお悪い。俺はそういう掌を返すような態度が大嫌いなんだ。ろくでなしだの飲んだくれだのさんざ言いやがって、たかだか挙人になったぐらいで先生《シエンション》はないだろう」

「おいらそんなこと言ってないよ。少爺《シャオイエ》のことを、ろくでなしだの飲んだくれだの」

「……そうか。うん、その少爺でいい。昔のままだ——ところで、あのくたばりぞこないのババアにもあきれたものだな。こんな子供をつかまえて」

梁文秀《リアンウエンシウ》は寝台から書物をこそぎ落とすと、春児を抱き上げて座らせた。

「そうかしこまるな。どうせこの寝台ぐらいは、おまえの死んだおやじやあにきが買ってくれたようなものだ――ふうん。で、なんだ、俺に聞かせたいことって」

「だから、おいらには昴《すばる》とかいう偉い星がついていて、そのうち天子《ティエンツ》様の家来になって、宝物をいっぱいもらえるって」

文秀はきょとんと目を瞠《みひら》き、卓を叩いて大声で笑った。

「天子様の家来！――ハッハッ、それならこの俺様のことだ。ああ、いずれそうなるさ。あの能なしの家庭教師みたいに、なまじいの学問で飯を食うような俺じゃない。そうか、さてはあのババア、そんなことをおまえの口から俺に伝えて、見料でも届けさせようってこんたんだな」

「いや、ちがうんだよ少爺。このおいらがそうなるんだって。天がそう決めたんだって」

「まいったな――」

と、梁文秀は青々と剃《そ》り上げた頭頂に手を当てた。しばらく考えるふうをし、それからよそ行きの――というより、それがたぶん彼本来の顔にちがいない冷悧《れいり》な表情を春児に向けた。

「白太太《パイタイタイ》がその昔、都の大官たちの易占をたてたほどの星読みだという噂は、俺も知っている。だが――そればかりはちょっとな。おまえが金持になるのは、人間が黄金の糞をひり出すのと同じぐらい難しい」

「やっぱり、嘘か」

「さあな……」、と梁《リアン》文秀《ウエンシウ》は女のようにしなやかな掌を春児《チュンル》に伸べて、ひび割れた頬を包んだ。

「おまえの大哥《ダアコオ》と俺は、義兄弟の誓いをたてた仲だった。その弟のおまえが出世できれば、そんなに嬉しいことはないさ。学問をするなら力になるぞ。どうだ」

「おいら読み書きなんて……それに、もうじき皇帝のお側にあがるって、太太《タイタイ》が言ってた。間に合わねえよ」

「もうじき、だと？ いよいよもって怪しい話だな。どう考えたって、ありえない」

文秀は黒檀《こくたん》の椅子に腰を下ろすと、切れ長の端正な目を、じっと春児に据えた。

春児は死んだ長兄と同い年の、この変わり者の青年が好きだった。子供のころはいつも村の子らに混じって遊んでいた。

父母がおろおろともて余すさまを、春児は覚えている。ひどいいたずらをされても、おいそれと叱るわけにもいかず、打つわけにもいかず、日が昏《く》れれば拐《かどわ》かされぬように邸まで送り届けねばならなかった。

謹厳な梁《リアン》大爺《ダアイエ》も、つんとすました奥方も、はなからこの次男坊を見放していた。文秀はいつも村の子らとたいして変りのないなりをして、そしてたいてい、同じように腹をすかせていた。

　遊び仲間が野良や漁に出る年になっても、文秀の傍若無人ぶりは変らなかった。村人たちは、日がな運河の淀みに釣糸を垂れ、村はずれの居酒屋で日の高いうちから酒をくらう文秀を、むしろ蔑意をこめて「梁《リアン》少爺《シャオイエ》」——梁家のおぼっちゃま、と呼んだ。

　まったくその調子で、弱冠二十歳《はたち》の「梁挙人」が誕生したのだから、村人たちが大いにあわてたのも無理はない。

　そしてたぶん、この村で最もあわてたのは幼いころから才子の誉れ高く、周囲の期待を一身に集めて育った「梁大伯《おおぼっちゃま》」と、父の梁大爺に他なるまい。なにしろ蕩児と決めつけていた弟が、あろうことか兄より先に郷試の捷報《しょうほう》を受け取ってしまったのだから。

　兄の文源《ウェンユアン》が本命、弟の文秀はついで、と広言して憚《はばか》らなかった家庭教師にとっては、まさに不測の事態であった。

　祝の席で説明に苦慮したこの老教師は、ふと思いついて、

「燕雀《えんじゃく》いずくんぞ鴻鵠《こうこく》の志を知らんや」

と、わかったようなわからんような演説をぶった。どうせならもっと意味不明のたとえを言えば良かったのだが、その一声だけで祝宴は沈黙してしまった。雇い主の梁大爺《リァンダァイエ》にもこの程度の教養はあり、落第生の大伯《ダァボー》も史記のおさらいぐらいはしていた。

文秀《ウェンシウ》を鴻鵠になぞらえることで、はからずも彼らを燕雀に貶《おとし》めてしまったと知った老師は死人のように青ざめた。

一族の面前で燕雀《こけ》にされた大伯は、わっとその場に泣き伏し、当然のことながら老師は馘《くび》になった。

そうした小事件はこの半年の間、枚挙にいとまのないほど巻き起こったが、当の文秀はまったく意に介さず、挙人の藍衣のまま居酒屋を訪れては馬喰《ばくろう》どもをおののかせた。

運河のほとりに座りこんで三尺もある長煙管《ながぎせる》でタバコを喫い、村娘とすれちがうたびに下品な冗談を浴びせた。

挙人という名誉を冠されても決して行いを改めようとしない、そんな型破りの才子を、春児《チュンル》はいっそう好きになった。

尊敬する文秀につかの間の夢を拒まれて、春児はべそをかいた。

「それじゃ、太太《タイタイ》はおいらをからかったんか。あんまりひどいじゃねえか」

すると文秀は、「いや、そうとばかりは言えん」と、真顔になった。

「なんで？　なぐさめなくたっていいんだよ」

「あのな、春児。ここだけの話だが……」

と前置きをして、文秀は突然、愕《おどろ》くべきことを言った。

「実はな、俺は昔――そう、ちょうどおまえぐらいのころ、白太太《パイタイタイ》に妙なことを言われたんだ。死んだおまえの大哥《ダアコオ》と一緒に、村はずれまで遊びに出て――」

「大哥と？」

「ああ。太太の鶏小屋から卵を失敬しようとして見つかった。さんざ説教されて、それでもしまいには茹卵《ゆでたまご》をひとつずつもらってな。太太は俺たち二人を温床《オンドル》に座らせて、生まれ年を聞いて、長いこと考えてからこう言った」

春児はかたずを呑んだ。太太の庭の槐《えんじゅ》の枝の不吉な軋《きし》みが、耳に甦った。

「――梁文秀。汝は長じて殿に昇り、天子《ティエンヅ》様のかたわらにあって天下の政《まつりごと》を司ることになろう。汝の主となられるは今上《きんじょう》の君、同治皇帝ではない。崩じてのち立つ帝は今上の従弟《いとこ》にあらせられる醇《チュン》親王家の載湉《ツァイテン》殿下。英明なれどこと志に添わずさまざまの御苦労をなされる悲運の帝じゃ。汝は学問を琢《みが》き知を博《ひろ》め、もって帝を扶翼《ふよく》し奉る重き宿命を負うておる。よいか、文秀《ウエンシウ》。困難な一生じゃぞ。心して仕え、矜《ほこ》り高く生きよ——と、まあそんなことを言われた」

「おいら、むつかしくってわかんねえよ、そんなこと」

「つまり、だ」、と文秀は教え諭すように言った。「俺はいずれ挙人どころか進士の試験にも及第して、宰相だか大臣だかになると、そういうことだ」

ひゃあ、と春児《チュンル》は素頓狂《すっとんきょう》な叫びを上げて、寝台の上に立ち上がった。

「すげえや少爺《シャオイエ》！　宰相だって。おいらが老仏爺《ラオフオイエ》のお宝を頂戴して、少爺が宰相になったら、世界はおいらたちのものだ」

「まあ、そう興奮するな。人が聞いたら何だと思うぞ。まだ結果が出たわけじゃない」

「だって、今にも出そうじゃないか。少爺は挙人様になったんだから。きっと進士の試験も及第して、そうだ、一番の状元《じょうげん》で及第して、宰相になるんだよ！」

しっ、と文秀は春児の口を塞いだ。

「俺はただでさえ人格が疑われているんだ。大声を出すな。だが……同治帝が御子のないまま崩ぜられて、醇《チュン》親王家の載湉《ツァイテン》殿下が即位された。これは事実だ。ババアの予言は当っている。俺もどうしたわけか挙人になった」

「そうだよ。みんな本当になるんだよ」

「しかし、こうも思える。あのババアにうまく乗せられたのかもしれん。そうか、頑張らなくっちゃ、とか。俺はもともと暗示にかかりやすいたちなんだ。道士のまじないを見ていて、よく引きつけを起こした」

　春児は納得できん、というふうに首を振った。

「そりゃないよ少爺。そっちは頑張れば本当に宰相になれるかもしれないけど、おいらが頑張って糞拾ったって、どうなるわけでもないじゃないか」

　文秀は弁髪を解くと、色白の聡明な顔を庭に向けた。わずかの間に酒気は消え、長い睫毛《まつげ》に被われた眸《ひとみ》が、天のきわみを見はるかすように冬空を映していた。

「だがなあ、春児——ばあさん、話をせがむおまえの兄貴をじっと見つめて、黙りこくっちまったんだ。じっと見つめて、せがまれるほどに首を振って、わからないよ、って。ひどく悲しい顔をしていた——そうさ。わからなかったんじゃないんだ。大哥《ダアコオ》の未来は、まっしろだったんだ」

　文秀は振り返ると、春児をせきたてるように散らかった部屋を片付け始めた。

「あいつは、いいやつだったのにな」

乱暴に書物を重ねながら、しみじみと若い挙人は呟《つぶや》いた。

「帰るよ、梁《リアン》少爺《シャオイエ》。おふくろにぶたれる」

「馬小屋に寄ってけ。うちの馬は飼葉がいいから、糞もよく燃える」

春児《チュンル》はあたりを窺って窓から飛び降りると、糞袋を握って駆け出した。

二

直隷省静海県《ズーリーチンハイ》の挙人《きょじん》、梁 文秀《リアンウエンシウ》が進士登第《とうだい》をめざして再び都に上ったのは、光緒十二年の春であった。

「奉旨礼部会試」——朝命により会試を受験する者、と書かれた旗を押し立てて梁挙人の船が運河を遡《さかのぼ》れば、往きかう船はみな帆を下ろして路を譲った。騾車《らしゃ》の行く街道には挙人様をひとめ見ようと、人々が鈴成りになった。

春児は大得意だった。舟べりに眠り、騾車の後を走ってついて行く雑役でも、挙人様の従者にちがいはない。

いつか都に連れて行ってやろうという少爺《シャオイエ》の約束が、こんな形で果たされようとは思ってもいなかった。真新しい袍《パオ》と頭巾と靴とを貰い、母が気を失うほどの大枚の銀貨をちょうだいして、春児は晴れの征途に従うことを許されたのだった。

騾車の一両には挙人と、もうこの際兄弟の分け隔てどころではなくなった梁大爺《リアンダアイエ》が乗り、続く一両には県城の役人が二人、乗りこんでいる。

官服の盛装をこらした彼らは一行に十分な威を添えているが、今のうちから梁家におもねっておこうという下心は見えすいている。驟車の後ろからは家僕たちが続いた。これもお揃いの袍《パオ》に黒い紗のしごきを締め、頭巾を冠っている。仕事といえば霜どけのぬかるみに車輪が取られたときだけなのだが、四人の屈強な従者は、颯爽《さっそう》と胸をそらし、威儀を正して驟車の後をついて行くことこそ重要な役目であると、ちゃんと知っている。

だから彼らにとって、ぶかぶかの袖と裾を紐でくくって懸命に走ってくる五人目の従者は目触りでならない。糞拾いの春児《チュンル》がなぜ自分たちと同じなりをしてついてくるのだと、彼らは口々に訝《いぶか》しんだ。

しかし、当の春児は自分の役目を知っていた。

梁挙人《リアン》様はこんなふうに仰々しく祀《まつ》り上げられることが何よりも嫌いなのだ。だから気楽に天津なまりで話しかけることのできる従者を、ひとりだけ連れてきたのにちがいない。

その証拠に、驟車の幌から覗く挙人の顔は、ひとめでそうとわかるほど不機嫌であり、轡《くつわ》を休めるとそのとたんに飛び下りて、まず春児に語りかけるのだった。

梁挙人は目のくらむような藍色の長袍《チャンパオ》を着、八品《はっぴん》の官位を示す雀頂《じゃくちょう》の帽子を冠っている。

そのなりで春児を芽吹きかけた柳の根方に誘い、地べたに腰を下ろして話しこんでしまう。話はいつもの下卑た冗談で、高笑いもやたらと唾を吐く癖も改めようとはしない。

それでも梁大爺《リアンダアイエ》は決して息子を叱らない。なにしろ「進士登第」という、一族積年の悲願を叶えるかもしれない挙人様なのである。試験を前にして少しでも緊張が紛れれば良い、とでもいうふうに、布袋《ほてい》様のような目を細めるだけだった。

もちろん大爺の見当は外れている。偏屈な挙人様は、ただ藍衣の尻を汚して、鼻たれの従者と話したいだけなのだ。

「ねえ少爺《シャオイエ》。この間の話だけどさ、覚えてる？」

文秀《ウェンシウ》は肩先に枝垂《しだ》れる柳の若葉をむしり取ると、鞭をふるうように振って群れ寄ってくる村人たちを遠ざけた。

「白太太《パイタイタイ》のお告げか？」

「そう。ずっと考えてきたんだけど、少爺はとうとう天子様に召されて都に上るんだから、やっぱりあれは本当なんだよ」

柳の葉を無頼な感じで口にくわえながら、挙人はおかしそうに笑った。

「ここだけの話だがな、おやじはあと三年待って、あにきと一緒に試験を受けろって言いやがった。どうせ落ちるんだから、三年しっかり勉強しろだと」

「ふうん。今度の試験はそんなに難しいの」

「そりゃそうさ。挙人ばかりが四百余州から集まるんだ。だが、そこまで言われたんじゃ意地でも受けるしかない。しかしなあ――」

と、挙人は退屈そうな大あくびをした。

「思うに、おやじの予想どおりに落ちちまうのもしゃくだが、そうかと言って星読みのババアの言うとおりに合格しちまうのも何だかなあ。さてどうしたものか」

春児《チュンル》は愕《おどろ》いて藍衣の袖を引いた。

「だめだよ少爺《シャオイエ》、勝手なことしちゃ。天命に逆らったら閻魔《えんま》様に百叩きされて、十八層下の無間《むげん》地獄に落とされちまうんだぜ」

「ほう、だったらおまえはどうなる。逆立ちしたって無理な天命とやらをおっつけられて、十八層下の地獄に落ちるのがおまえの宿命なのか?」

「ひええ」、と春児は顔を被った。尊敬する少爺の口から出れば、どんな言葉でも冗談とは思えない。

春児のおびえる表情がよほどおかしかったのか、梁文秀《リアンウエンシウ》はいかにも明眸皓歯《めいぼうこうし》とした顔をくしゃくしゃに歪めて笑った。

　挙人様も笑うのだと知って、遠巻きにした村人たちはどよめいた。

「やれやれ、まったく恥ずかしいったらありゃしない。都についたら見物でもしながら、おまえのその天命とやらについて考えような」

「おいらのことなんかどうでもいいよ。それより試験はちゃんとやって。お願いだから」

　群衆をかき分けて、身なりの良い老人が進み出た。跪《ひざまず》いて礼をする。かたわらの村人は茶器と饅頭《マントウ》を盛った飯台を捧げ持っている。

「ええ――梁文秀少爺におかれましては、みごと郷試に及第せられ、挙人の学位を得られたのも束の間、このたびは勇躍、順天会試に赴かれますとのこと、まことに慶賀の至りにございます。願わくば首尾よく進士に登第なされ、三元にも中《あた》られますよう、村民一同、心よりお祈り申し上げます。ささ、これはお口よごしに――」

　老人が丸覚えしてきたような祝辞を述べると、挙人は応えもせずにぷいと背を向けてしまった。

「なにが三元にも中られますように、だ。お供え物までしやがって、まるで神様あつかいだな」

三元とは科挙《かきょ》合格者の上位三名に与えられる尊称である。「三元に中られますよう」とか「状元にて及第されますよう」とかいう文句は、いわば良家の子弟に対する挨拶のようなものであった。

知識階級の家庭では、母親は嫁入りのときから「五子登第」と鋳《い》こまれた鏡を持ち、男子が生れれば「状元及第」と鋳た銅銭を撒《ま》いて祝儀とする。つまり科挙に登第することは現実の目的というより、ほとんど信仰であった。

文秀《ウェンシウ》がうんざりと顔をそむけたわけは、彼自身そうした環境に育ってきたからに他ならない。そして村人たちが、北京の会試に赴かんとする挙人を神のごとく崇《あが》める理由もまたそれである。なにしろ信仰の対象が目の前に顕れたのだから。

「少爺《シャオイエ》、何とか言ってやんなよ。じいさん困ってる」

春児《チュンル》に促されて、文秀はやれやれと振り向いた。村人たちはかたずを呑んで挙人様のお言葉を待ち受けている。

いったいどんなご託宣があるかと思いきや、文秀は人々を眺め渡して、突拍子もない声を張り上げた。

「学而時習之《シュアルシイシイツ》！　不亦説乎《プウイーユエフ》！　――わかるかね諸君。毎朝お経のかわりに、これを百ぺん唱えたまえ」

学んで時にこれを習う、また説《よろこ》ばしからずや、と挙人様は五歳の学童がまず最初に諳誦《あんしょう》させられる論語の一節を高らかに叫ぶと、捧げられた饅頭《マントウ》を鷲摑みにしてがぶりと食った。

「ひどいよ少爺、みんなきょとんとしちまってる」

藍衣の長い裾をたくし上げて饅頭を頰張りながら、挙人はとっとと騾車《らしゃ》に向かった。

「何がひどいもんか。みろ、ガキどもはちゃんとわかってる」

「そんなのだったらおいらだってわかるよ。もうちっとましなことを言ってやらなきゃ」

「いいや、誰もわかっちゃいない。ガキの頃から喜んで学問をしなきゃ、やるだけむだってもんさ。俺のあにきをみろ、ひいひい泣きながら勉強したって結局はあのざまだ」

饅頭を吹きちらしながら、文秀は村はずれの酒場でそうするように、ひやっひやっとまったく下品な笑い方をした。

梁《リアン》家の一行は諫《いさ》める言葉もなく騾車の周囲に佇《たたず》んでいる。

「なあチビ、わかるよな。なにせおまえは、そのうち天下のお宝を手にするんだから」

食いかけの饅頭《マントウ》を春児《チュンル》の胸元に投げて、文秀《ウェンシウ》は幌の中に乗りこんだ。

騾《ら》車《しゃ》は霜どけのぬかるみに車輪を軋《きし》ませ、都を目ざして走り出した。


科挙《かきょ》――はるか漢代にその源を発し、度重なる王朝の交替にも決して滅びることなく継承され、むしろさらなる公平さを求めて複雑化していった清代末期の科挙は、その存在自体が制度の怪物であった。

知識階級はすべてこの科挙制度に呪縛されており、その他の志はおよそ正常とはみなされなかった。

男子たるもの物心ついたときから四書五経に親しみ、数え十五歳の元服までにそれらをことごとく諳誦《あんしょう》する建前である。

かりに四書のうち「礼記」と内容の重複する「大学」と「中庸」を省くとしても、「論語」「孟子」「易経」「書経」「詩経」「礼記」「左伝」の諳《そら》んじるべき総字数は四十三万字にのぼる。

そのほかこれらに数倍する注釈書を読みかつ理解し、必須科目である詩作を学び、形式の化物のような八股文《はっこぶん》の解答法に習熟し、政策論を述べるに必要な歴史や故事についても学び尽くさねばならない。

これらを幼少の頃から叩きこまれたうえで、資格試験の第一関門である「県試」を受験する。この試験は別名を「童試」と称せられるとおり、本来は十四歳以下の少年が対象なのだが、早くもここで四、五十歳まで足踏みしてしまう「老童生」も珍しくはない。

県試の合格者は続く「府試」に応ずる資格を得、さらにその合格者は「院試」へと進む。

これに合格して初めて、科挙の本試験に進む資格が生まれ、同時に官吏の末席たる「生員」の身分を得る。すでに平民からは崇《あが》め奉られ、不逮捕特権まで持つ「生員様」である。

生員はやがて「歳試」「科試」の学力判定試験を繰り返して厳密に淘汰されたのち、ようやく科挙の第一次試験である「郷試」に向かう。

「郷試」は三年に一度だけ、各省の首府に才子中の才子を集めて行われる。おそろしいことに、この競争率はおよそ百倍に達する。

郷試の合格者たる挙人が、「上天の星に応ずる」とさえ讃《たた》えられるゆえんは、まさにこのようなものであった。

こうした神のごとき全国の挙人二万余名が北京貢院に会して実質的な科挙の本試験に臨む。「順天会試」である。

三百余の進士の座をめぐって会試に挑む挙人たちが担っているものは、もはや個人の将来とか郷土一門の名誉などという甘い夢ではない。むしろ出身府県の興亡と、眷族《けんぞく》の毀誉褒貶《きよほうへん》が、彼らの一身にかかっているとでも言うべきであろう。

進士登第は、まさしく「日月をも動かす」壮挙であった。

梁《リアン》挙人《きよじん》の一行が北京順天府に到着したのは、つごう三次に分けて行われる会試の初日より三日前、旧暦三月六日の午後である。

一行は方術師の占った吉時日ちょうどに、吉方にあたる広安門から北京外城に入った。当然のことながら門の内外、それに続く広安門大街《ダアチエ》は全国から押し寄せた馬車や騾車で大混雑である。

どの挙人にも数名ないし十数名の付き添いがあるので、旅館や各地方会館の集まる外城の一郭には十数万の旅客が犇《ひし》めくことになる。

いきおい商店はこの時とばかりに品物を店先に並べ、露店が競い立ち、辻々には大道芸人までが現れる。

そうした常にない騒擾《そうじょう》を取り締まるためには、司直ばかりではとても手が足らないとみえて、数人ずつの隊伍を組んだ兵士が巡回をする。とりわけ騎射用の小弓を携え、長衣の軍装を整えた近衛の八旗兵は、十分に威圧的であった。

商人たちの呼び声と夥《おびただ》しい車輪の軋みと、罵声と嘶《いなな》きとがひとつの音になって、まっさおに晴れた都の空を押し上げる。

しかし春児《チュンル》には風物を眺める余裕などない。想像だにせぬ都の雑踏の中で、一行からはぐれまいとひた走るばかりであった。

広安門大街を東にたどると、やがて右安門から北上してきた一群にぶつかる。人と車とは押し合いへし合いしながら、菜市口《ツァイシコウ》の繁華街へとなだれこんで行く。

全土から集いきた一行は、それぞれ車の型も馬や騾馬の毛色も、怒鳴り合う馭者たちの言葉さえもちがう。このさながら戦場のような状況を制圧できる者は、物々しいなりの八旗兵だけであった。

彼らはどの車にも一人ずつ乗っている八品官の挙人様など物ともせず、馬上に鞭をふるって叱咤した。

菜市口から虎坊橋にかけての南北の一帯に、各省府の地方会館は点在している。進むほどに車は三々五々、左右の胡同《フートン》へと消えて行く。

在京の先輩官吏たちの寄付によって建てられた静海《チンハイ》会館は、狭い胡同《フートン》を折れ曲がった先に小ぢんまりと建っていた。

荷駄を解き、ようやく人心地のついた会館の中庭で、春児《チュンル》は年かさの従者に訊ねた。

「ねえねえ、あのお城の中に天子《ティエンツ》様はいるの？」

「あのお城だと？」

　従者は汗を拭いながら、胡同のなかぞらに聳《そそ》り立つ順治門の城壁に目を向けた。

「あれはお城じゃねえ。お城はあの門を抜けて、九重《ここのえ》の城壁のずっと先にある」

春児には従者の言う意味がわからない。お城がまだずっと先だとすると、今しがたたどってきた長い華やかな街は、いったい何なのだろう。

「あのなあ、チビ。世界の中心がそんなにちっぽけなはずはねえだろう。ここはまだ都の西のはずれさ」

「え、ほんと？　信じられねえや。またおいらをからかってるんじゃないのか」

「嘘じゃねえよ。俺は去年の夏に少爺《シャオイエ》のお伴をしたとき、ちゃんとこの目で見てきたんだから。すげえんだぞ、こう、目もくらむような真黄色の壁と瓦でできていてよ」

「天子様は、そこにいるの？」

「そうさ、お城は世界のまんなかだ。天子様はいつだってそこの玉座に座っていなさる」

「老仏爺《ラオフオイエ》も？」

従者ははっとあたりを見渡して、春児の頭を小突いた。

「めったなことを言うんじゃねえ。ばちが当るぞ――まったく少爺も何でまたこんな、人と仏様の区別もつかねえようなガキを連れてきなすったんだか」

春児は気色ばんで、従者の顔の前に胸をせり出した。

「少爺とおいらのあにきは、義兄弟だったんだぜ。こんなこと今さら言いたかねえけどよ」

従者は謎をかけられたようにしばらく考え、それから髭面を歪めて笑った。

「あのどうしようもねえ我鬼大将の大哥《ダアコオ》かい。そういやあ子供の時分、よく少爺と遊んでたっけな。うん、覚えてるぞ。だが、義兄弟とはふるってるな」

「わかったろう。だからおいらはお伴に選ばれたんだぜ」

ふうん、と従者は感心したように肯き、春児の肩を叩いた。

「ま、そういうことならわからんでもねえがよ。だがな、チビ。そんなこと、金輪際ひとさまに言うんじゃねえぞ。おめえのあにきはとうに死んじまってるんだし、少爺《シャオイエ》は今や天にも昇る挙人様なんだ」

「どうしてさ。いいかい、少爺はおいらのあにきの義兄弟なんだぜ。だからおいらを可愛がってくれて、こうして都まで連れて来てくれたんじゃねえか」

「あのな、春児《チュンル》――」

と、従者は怒鳴りかけて声を静めた。

「いいか、それはな、義理でも何でもねえんだ。おめえの家は貧乏だから、少爺はおふくろに銀貨をめぐむつもりでおめえを連れてきてくれたんだよ。糞拾いのおめえにとっちゃ夢のような話なんだぜ」

そうかもしれない、と春児は思った。

少爺は変わり者だが、とても優しい。他の村人たちや大爺《ダァイェ》の手前、施しをするわけにはいかないから、寝たきりの二哥《アルコォ》の薬代をそんなふうにしてめぐんでくれたのだ。

「な、わかったろうチビ。おめえは妙に小賢しいところがあるから、これだけ言やあわかるよな……おい、何も泣くこたァねえだろう。わかりゃいいんだよ、わかりゃ」

「だって、おいら今ようやくわかったんだ。少爺はてっきりおいらを話相手に選んでくれたんだとばっかり思ってた」

「ばかばかしい。挙人様が何で糞拾いのガキを話相手にせにゃならねえんだ。わかったら無駄口たたかずに、一生けんめい働くんだぞ。おっと——少爺のお出ましだ。ちゃんとかしこまって、なれなれしい口をきいたりすんなよ」

居間の扉を開いて、平衣に着替えた梁《リァン》挙人が現れた。従者たちも、宿の使用人たちもいっせいに膝をついた。

藍衣を脱いだ少爺はとても挙人様には見えない。長袍《チャンパオ》の上に紅の裏地のついた馬褂《マーコワ》を着こんで、弁髪を毛皮の帽子にくるみこんださまは、ちょっといかれた街なかの若者だ。

「おい春児。出かけるぞ、付き合え」

はい、と立ち上がった春児の袖を引いて、従者は囁いた。

「つきあうんじゃねえぞ、お伴をするんだ。わかってるな」

「うん、わかってる」

「それから、決して酒を飲ましちゃなんねえぞ。いかがわしい場所に入ってもなんねえ。いいな。もし巡察の役人に見つかって試験を受けられないようなことになったら、おまえの責任だ。手足をへし折られても文句は言うなよ」

そう言って腕をねじり上げる従者の手を振りほどいて、春児《チュンル》は訊いた。

「いかがわしい場所、って？」

「町に出りゃわかる。酒場とか女郎屋とか芝居小屋とか——要するに少爺《シャオイエ》の行きたがる場所のことだ」

そうまで言うのなら自分がついて行けば良さそうなものだが、名乗り出る者は誰もいない。少爺は井戸端で働く宿の洗濯女を摑まえて、下品な冗談を言っては勝手に高笑いをしている。

「——な。だいたいわかるだろう」

「うん、わかった。行きたがる場所に行かせなきゃいいんだね。でも、どうすりゃいいのかな。少爺は言い出したらきかない」

「そりゃ簡単さ。泣いて止めりゃいい。少爺は人の言うことは絶対に聞かねえが、泣く子と女には弱えんだ」

梁《リアン》大爺《ダアイエ》と付き添いの役人たちが、険しい顔を窓に並べている。目が合うと大爺は、「行け」というふうに顎を振った。

どうやら言わんとしていることは大爺も同じらしい。自分のお役目を認められて、春児は得意になった。

「いいか、いざとなったら泣くんだぞ。おいらぶたれるのいやだ、腕を折られちまうって、びいびい泣けばいい」

従者の説得が聴こえてでもいるように、窓の中の三つの顔は真剣に肯いた。

「史了《シーリアオ》、早くお帰り」

大爺は猫なで声で挙人の字《あざな》を呼んだ。

「ええ、わかってますよ、おとうさん。福祥寺と関帝廟にお参りをしたら、じきに帰ってきます」

「みんなで歌を唄うお寺とかに行くんじゃないよ。おしろいをつけた関帝様にも、お参りをしてはならんよ」

「はいはい——おいチビ、行くぞ」

挙人様は中庭のあちこちから浴びせかけられる不安げな視線をよそに、からからと笑って歩き出した。

宿の門を抜けて路地を折れ曲がると、文秀《ウェンシウ》はいかにも籠《かご》から放たれたように早足になった。

「待ってよ、少爺《シャオイェ》」

「急げ、余分な時間はないんだ。明日からは身元保証人の役人やおやじの知り合いの所へ挨拶に回らなけりゃならん」

「勉強はしなくていいの？」

追いすがる春児《チュンル》に笑い返して、文秀《ウェンシウ》は答えた。

「勉強だと？　――この期に及んでいったい何をおさらいするんだ。もういっぺん聖諭広訓《せいゆこうくん》でも唱えとくか？　――父母に孝順なれ、長上を尊敬せよ、郷里に和睦せよ、子孫を教訓せよ、おのおの生業に安んじ……ええと、そのあと何だっけか。忘れた」

「非違をなすことなかれ、だよ。しっかりして、少爺」

答えながら、そうした文句がどれひとつとして少爺には当てはまらないことに気付き、春児はおかしくなった。

文秀は春児の頭巾に手を置いて言った。

「そうだ。おまえは賢いな、門前の小僧とかいうやつだ」

「少爺が教えてくれたんじゃないか。おいら、いっぺん教わったことは忘れないよ。たいして役に立たないけど」

「そのうち役に立つ。いいか、これだけたくさんの人がいても、読み書きの満足にできる人間はめったにいない」

「え？　そうなの。都でも？」

「そうさ。何も梁家屯《リアンジアトン》の百姓ばかりが無学なんじゃない。四億の民のうち三億九千万までは聖諭広訓なぞ知らないんだ」

「でも、家でおさらいをしてると、おふくろにぶたれた。そんなことしてる間があったら糞でも拾ってこいって」

「うん。それももっともだ」

と、文秀は胡同《フートン》を抜けたところで立ち止まり、街路を見渡して考え深げに言った。

「なまじいの学問など糞の役にも立たん。おふくろの言うことは正しいよ」

少爺は人の流れに逆らって北へと歩いた。車の列は相変らず涯《はて》もなく続いている。幌の中に見える挙人たちの顔は、どれも緊張していた。

「見ろ、どいつもこいつもカボチャだ」

「自信たっぷりだね、少爺」

「あったりまえだ。白太太《パイタイタイ》も言ってたろう。俺様はな、あいつらとはちがうんだよ」

ここが、と文秀《ウェンシウ》は毛皮の帽子を指さした。

「頑張ってよ。少爺《シャオイエ》が合格すれば白太太《パイタイタイ》の言ってたことは本当だから、きっとおいらも大金持になれる」

文秀は春児《チュンル》を見下して、ふうと溜息をついた。口で言うほど表情に余裕は見られなかった。

「大丈夫、だよね、少爺……」

「……もうその話はやめよう。実は俺も、そう言って自分に暗示をかけている。そうだな、俺はできがちがうんだ。できが……さて、一杯ひっかけて行くか」

酒場の前で立ち止まる文秀の袖を、春児はあわてて引き寄せた。

三

もし人の運命が白太太の言う通り天上の星々によって定められているとするなら、その三月六日の夕刻に春児の出くわした光景も、天の必然であるにちがいない。

しかし、春児は偶然――まったく偶然としか思えぬほど唐突に、かれと出会ったのだ。

お城を見に行こう、と文秀は言った。

菜市口《ツァイシコウ》の繁華街を右に折れ、順治門から内城に入って西単牌楼《シータンパイロウ》を東に曲がると、城壁に沈む夕日が二人の影を黒々と押し倒した。

凪《な》いでいた風が楊柳の葉を梳《す》いて吹いたと思う間に、あたりはもうもうとした黄《こう》塵《じん》に被《おお》われた。

振り向けば落日は巻き上がる砂の中で、血の色に爛《ただ》れていた。

ともすると長袍《チャンパオ》の袖で顔を被いながら歩いて行く文秀の背を見失ってしまいそうな砂埃《すなぼこり》であった。

商店は戸を閉ざし始め、風の吹き荒れるほどに人影は減って行った。

いったいどれほど歩いたのだろう。黄塵と夕日の醸《かも》し出すふしぎな色は、風景とともに時間までをも奪い去っていた。

かつて見たこともないほどの広い石畳の広場に二人は立っていた。

ひととき風が止むと、黄砂は高々と空を被ったまま、広場をふしぎな金色に染めた。まるで地上のものではない見知らぬ場所に、風に乗って運ばれてきたような気がした。

「うわあ、これがお城か。すげえや」

広場を睥睨《へいげい》する壮麗な城門に、春児《チュンル》は目をしばたたいた。

「いや、ここはお城の南の端だ。天子様《テイエンツ》はこの門をくぐって、まだずっと先におられる」

いったい都とは、どんな構造になっているのだろう。外城の門を抜けて市街をいいかげん歩き詰め、ようやくたどりついたここから、皇帝の住む紫禁城《ヅチンチヨン》はまだ先にあると言う。

時間も距離も、まったく想像にかからぬ世界の中心に春児は立っていた。

風が止んでしばらくたつと、空を被った黄砂が霰《あられ》のように降り落ちてきた。

夕日に染まった砂の帳《とばり》の中から、椅子轎《いすかご》を担ったものものしい行列が、ふいに現れたのはその時である。

広場を行きかう人々はみないっせいに衣の袖を下ろし、その場に跪《ひざまず》いた。

行列は城門のどこかしらから湧き出たように現れ、ゆっくりと、まっすぐに石畳の上を進んできた。

先達《せんだつ》はねずみ色の長袍《チャンパオ》の筒袖を振り回して、貴人のお通りを告げる甲高《かんだか》い声を発し続けていた。八人の肩に担ぎ上げられた椅子轎には埃をよける絹の傘がさしかけられ、その脇には香炉を捧げ持った従者が付き随《したが》っていた。

城から退出する王侯か大臣なのだろう。文秀《ウェンシウ》は行列が近づくと、石畳に片膝を折って袖の中に顔を伏せた。春児も見よう見まねで同じ姿勢をとった。

「誰なの、少爺《シャオイエ》」

行列が間近に迫ったあたりで、春児は上目づかいに椅子轎を見た。

十数人もの従者たちはみなお揃いの長衣の上に襟のあいた馬褂《マーコワ》をはおり、腰には黒繻子《くろしゅす》の帯を巻いていた。

どの帽子にも鮮やかな紅色の房が付いており、毛皮の長靴《ちょうか》をはいた足並は決して乱れることがなかった。

夥《おびただ》しい触角と足を持った巨大な昆虫が、砂を巻いて蠢《うごめ》き近寄ってくるように思えた。

「こわいよ、少爺《シャオイエ》。誰なの」

思わず後ずさる春児《チュンル》の腕を押さえつけて、文秀《ウエンシウ》はちらりと顔を上げた。

「大総管《ダアツォンクワン》太監《タイチエン》の李蓮英《リイリエンイン》様だ。見るんじゃないぞ」

文秀は一瞥《いちべつ》してすぐに顔を伏せた。膝を折ったまま文秀の背に隠れて、おそるおそる見上げたその男の表情を、春児は一生忘れないだろうと思った。

黒貂《くろてん》の毛皮で縁どりされた朝服の胸には、とぐろを巻いた金色の蟒《うわばみ》が刺繡された、帽子の頂上には二品《にひん》の官位を示す珊瑚《さんご》の頂戴《ティンタイ》が輝いていた。まるで一日の勤めに疲れ果てたように、籐の椅子の背に身をもたせかけ、怠惰にかしげられた顔は死人のように青黒かった。

「頭を下げんか、小僧」

通りすがりながら、従者の一人が叱咤した。文秀はあわてて春児を肘で突いた。

ふと、大総管李蓮英は、獣が物うげに目覚めるように、椅子轎の上で身を起こした。

「止めよ」

女のように甲高い声で、貴人は言った。行列は轎の柄を軋ませて止まった。

「顔を上げよ」

文秀はおそるおそる袍《パオ》の袖から顔をもたげた。まるで品定めをするように文秀の表情と服装を見下してから、李蓮英は唄うような、高貴な北京語でこう呟いた。

「おぬし、応挙の者であろう。進士になられようとするそなたが、宦官《ホアンクワン》ごときの足元にひれ伏すことはない。立たれよ」

浅黒い顔の中の目は、炯々《けいけい》と輝いていた。文秀は腕に顔を伏せたまま立ち上がった。

「大総管閣下に親しくお言葉をいただき、光栄に存じます。この者の非礼はお許し下さい。何ぶん初めて上京した卑しい小奴《こやつこ》でございます」

ふむ、と轎の上に半身を起こしたまま貴人は肯いた。

「そなた、まだ若いようじゃが応挙は初めてか」

「はい。昨年の直隷郷試《ズーリーきょうし》を及第したばかりの者でございます」

「出身は直隷のどちらかな」

「静海《チンハイ》県の挙人、梁文秀《リアンウエンシウ》と申します。お見知りおきを」

「ほう、静海か。わしは大城《ダアチョン》の出身じゃ。隣県とはまさしく奇遇じゃの。こうして言葉をかわすのも仏縁、そなたには必ずやみ仏の御加護があるであろう」

そう言い置いて大総管《ダアツオンクワン》が長靴のかかとで軽く轎を踏むと、行列はまた蠢《うごめ》くように進み出した。

春児《チュンル》は呆然と立ち尽くしたまま、夕日を真向から浴びた大総管の横顔を見送った。

文秀《ウェンシウ》が袖を引いた。

「こら、頭を下げろ、小李《シャオリイ》」

ふと、数歩進んだなり行列が止まった。宦官《ホアンクワン》たちが険しい表情で振り返った。

文秀はとっさに、とり返しようもない失言に気付いて言いつくろった。

「李《リイ》はこの者の名でございます。決して他意はございません。お許しを」

椅子轎の上で、そのとき大総管は春児をまじまじと見返り、人間ばなれした長い顔を歪めて、たしかににんまりと笑った。

「お許しを、閣下」

「――気にするでない。李家の子供は昔から小李と決まっておるわ。もっとも――」

と、大総管は凍《こご》えるような白目の勝った目を文秀に据えた。

「もっとも、わしがそなたに頭を下げることなど、永久にないであろうがの」

行列は去って行った。

立ちつくす二人の頭上に、音を立てて砂が降ってきた。

「……ふう。寿命が縮まった。思わず口がすべった。くわばらくわばら」

と、文秀は人心地がついたように埃まみれの顔を拭った。

「そうか。あの人、おいらと同じ名前なんだね」

「ああ。今でも蔭では小李子《シャオリイツ》と呼ばれている。文武百官、たとえ王侯といえどもあの方を畏《おそ》れぬ者はない。なにしろ五千人の宦官を束ねる、後宮《こうきゅう》の大総管だからな」

歩き始めてしばらくたってから、春児は思いついて訊ねた。

「てことは――あの人も宦官なの？」

「そうさ。後宮でお仕えできるのは、女官とやつら太監《タイチエン》だけだからな。何千年も昔から、ずっとそういうしきたりなんだ」

太監――文秀の口から宦官のもうひとつの呼び名を耳にしたとき、春児はぞっと鳥肌立った。宦官と呼ぶよりずっと偉そうな太監という響きは、むしろ生々しく彼らのありようを想像させた。

かつては異民族を断種するために、あるいは宮刑という刑罰の結果うみ出された彼らは、今や立身のために進んで男を捨て、後宮の奥深くに仕える太監《タイチエン》となっていた。

男でも女でもない、太監という異種の人間を、春児《チュンル》は初めて目のあたりにしたのだった。それはかつて噂に聞いていた、気味の悪い裏声を張り上げ、前のめりにちょこちょこと歩き、生臭い匂いをまき散らすという、姑息な宦官《ホアンクワン》の印象とは余りにかけ離れていた。

春児が見たものは、富と名誉とに鎧《よろ》われた、威風堂々たる権威そのものであった。

「宦官にも偉い人はいるんだね」

「ああ。李蓮英《リイリエンイン》様の威勢に並ぶ者はいない。なにしろあの老仏爺《ラオフオイエ》様の第一の側近だ」

「老仏爺！」

と、春児は素頓狂《すっとんきょう》な声を上げて立ち止まった。

「どうした」、と言いかけて、文秀《ウエンシウ》は思いついたように春児の襟を摑み寄せた。

「ばかなことを考えるんじゃないぞ。太監なんていうのは、そこいらの食いつめの、にっちもさっちも行かなくなった人間が選ぶ道なんだ。男の一番大事なものをちょん切って出世しようなんて、どだいふつうじゃない」

「でも少爺《シャオイェ》。おいら、そのにっちもさっちも行かねえ食いつめだぜ」

「おまえの食いぶちぐらい、これから俺が何とでもしてやる。つまらんことを考えるな」

「でも、それじゃ白太太《パイタイタイ》の言った通りにならないよ」

文秀は溜息をつき、腰を屈《かが》めて春児の真顔を覗きこんだ。

「本気か？」

「だって少爺。世界中のお宝が手に入るんだぜ。体どころか、命をかけたって釣り合わねえ話じゃないだろう」

「ばかが。バクチ打ちみたいな口を利きやがって――よし、それじゃここまで来たついでに、いいものを見せてやろう。おまえが二度と妙な気を起こさんようにな」

文秀は早足で、あかりを灯《とも》し始めた大街《ダアチエ》を歩き出した。

「どこへ行くの、少爺《シャオイエ》。そろそろ帰らないとみんなが心配するよ」

四

二人が西華門《シーホワメン》ちかくの入り組んだ胡同《フートン》に足を踏み入れたころには、日はとっぷりと昏《く》れ、風は嘘のように凪《な》いでいた。

胡同の空気は湿っており、あたりには腐臭が漂っていた。華やかな都の奥深くの、そこは都人たちにとっても禁忌《きんき》の場所であるにちがいなかった。

ひび割れた土塀の上には、伸び放題の柳の枝が溢れ出ている。複雑に折れ曲がる胡同は不吉な迷路であった。家々は建てこんでいるが、窓に人の気配はなく、灯火も路地までは及ばない。昏れ残った空を見上げて、辻を曲がるたびに振り返りながら、春児《チュンル》は帰り道を危ぶんだ。

「飲み友達の家さ。どういう因縁か都に出るたびにあちこちで行き合うやつでな」

「飲んじゃだめだよ」

「わかってる。どうせ奴はまだ仕事中だ。夜中にならなきゃ飲みにも出られんのだ。そこで、うるさい連中が寝静まったころ、こっそり宿を脱け出す俺と、あちこちで出くわすというわけさ」

「職人さん？」

「まあ、そんなところかな。ついたぞ、ここだ」

都人たちが死胡同《スーフートン》と呼ぶ袋小路の行き止まりに、古ぼけた石造りの廠子《チャンツ》が建っていた。軒は傾きかけており、瓦のはがれた屋根のそこかしこには草が生い茂っている。丸窓にぼんやりと灯火がゆらいでいた。

「誰か泣いてるよ。女の人だ」

一人の声ではない。胡弓《こきゅう》を引くようなかぼそい呻《うめ》き声が、家の奥深くから聴こえていた。

傾いた門を抜け、照壁《チャオピー》に突き当たって曲がると、煉瓦塀を丸くくり抜いた月亮門《ユエリヤンメン》があった。どうやらその外観から、みすぼらしい廠子《こや》と見えた家は、思いがけなく立派な邸であるらしい。月亮門をくぐると広い中庭をめぐって紅色の家屋が並んでいた。荒れ果ててはいるが北京の伝統的な四合院《スーホーユアン》の邸宅であった。

中庭には夜目にも白い満開の花をつけた、木蓮の大樹があった。月かげはくっきりと石の上に花の形を落としており、その影とたわむれるように、小さな女の子が手鞠《てまり》をついていた。

「こんばんは、お嬢ちゃん」

子供と見ればいつもそうするように、文秀《ウエンシウ》は少女の髷《まげ》に手を置き、屈《かが》みこんで訊ねた。

「畢五《ピィウー》はご在宅かね」

少女はいちど怪しむように来客を睨み返したが、差し出された銅貨を窓の灯に透かすと、殻の割れたような笑顔を見せた。

髷にさした胡蝶の釵《かんざし》に手をやって、媚びるようなしぐさをする。

「親方ならいるけど……おじさん、誰？」

「飲んだくれの挙人様が来たと伝えてくれないか」

挙人様と聞くと、少女はひゃあと叫んで鞠のように母屋《おもや》に駆けこんで行った。

やがて、立てつけの悪い扉を押して現れたのは、鴨居《かもい》をくぐるほどの大男である。

隆々たる筋骨だけでも物語の怪人のようだが、その異様な出で立ちに春児《チュンル》は腰を抜かさんばかりに愕《おどろ》いた。

「よう。誰かと思や、ろくでなしの史了《シーリァオ》かい。夜の更《ふ》けるのも待ちきれずにお出迎えとは畏れ入るが、あいにくこっちはまだ取りこみ中だ」

と、まったく物語の怪人のように、畢五は両拳を腰に当ててのっそりと立った。闇を慄《ふる》わせるほどの低い、明らかな声である。たくましい裸体の上に片肌を脱いだ皮の上衣を着、やはり黒い皮の股引を筋肉のあらわなほどぴったりとはいていた。短い弁髪の上に晒《さら》し木綿《もめん》を巻き、腰にも同じしごきを締めこんでいるのだが、それはどちらも黒々と血に染まっている。のみならず腰に据えた掌《て》には、鋭い抜き身の鎌が握られているのだった。

「いや、酒じゃない。きょう着いたんだが、忙しくならぬうちに挨拶しとこうと思ってね」

「相変わらずの変わり者だな。晴れの会試を受けにきて、まず刀子匠《タオツチヤン》にご挨拶とは。あきれて返す言葉もねえよ」

と、言いかけて畢五は獣のような闇に光る目を、かたわらの春児に向けた。

「ん？　なんだこいつは……はは あ、これを買えってか。今のところ間に合ってるんだがな。どれ、品定めしてやろう」

皮の股引をぎしぎしと軋《きし》ませて、畢五は春児に歩み寄ると、やおら目の高さに抱き上げた。

「ふむ、器量は悪くない。賢そうな顔をしているな」

救いを求める春児《チュンル》の手を押し返して、文秀《ウェンシウ》は言った。

「どうだ、出物だぞ、肌も白いし頭もいい。おまけに読み書きができる」

「ほう、読み書きがなあ。どこで拐《さら》ってきた。後くされはあるまいな」

「どこでもよかろう。五十両でどうだ」

「五十両か、高いな。ごらんの通り凶作つづきで子供は余っている。在庫も十人を越えれば食いぶちや着る物だって馬鹿にゃならねえんだぞ。何しろ娘に化けさせて、年頃まで育てなけりゃならねえんだ」

意味がわからずに春児は中庭を見回した。母屋の窓から先ほどの少女と、そのほかに同じ年頃のいくつもの唐子髷《からこまげ》がこちらを窺《うかが》っている。

「近ごろはお城も王府《ワンフー》も好みがうるさくなりやがってな。数えの十二にならねえと採ってくれねえ。色気があるうえに力仕事も多少はできねえと使いみちがねえってわけだ。おかげでこっちは慣れぬ子育てまでしなきゃならねえ——四十両にまけておけ、当分の酒代にはなるべえ」

そう言うと畢五《ピイウー》は、ふいに片手で春児の股間を握った。

「いてっ、何すんだ、やめろよ」

春児に顔を殴られても、畢五は瞬きひとつしない。片腕の中で暴れる春児の股ぐらを、探るように揉みしだく。

「うむ。まだ皮も剝けちゃいねえし、袋も下がっちゃいねえな。一年もたちゃちょうど切りごろだろう」

春児は戦慄《せんりつ》した。この不気味な邸がいったい何をするところで、この男の刀子匠《タオヅチヤン》なる職業がどういうものか、はっきりとわかったのだ。

「切りごろだって？　――やめてくれよ、少爺《シャオイエ》、冗談だろ、やめてよ！」

文秀は意地悪く笑っている。自分は少爺の酒手のために売られるのだと思うと、春児は火がついたように泣き出した。

「おうおう、ずいぶん威勢のいいガキだな。だが、このぐれえが丁度いい。気の強いぐれえじゃねえと辛抱できねえからな。四十両の大枚を払ったうえに死なれちまったんじゃ、元も子もねえ」

泣き叫びながら、もう到底この男の力にはかなわぬと知るや、春児は手を合わせて懇願した。

「わかったよ、少爺。でも酒代はひどすぎる。半分はおふくろにやってくれよ。二十両でおいらが売れりゃ、きっと喜ぶから」

少爺はやっと真顔に戻り、畢五の手から春児を奪い返した。

「よしよし、わかりゃいい——冗談だよ畢五《ピイウー》。こいつは俺の家来で、死んだ幼なじみの弟だ。太監《タイチエン》になりたいなんぞと言うから、ちょいと脅かしてみただけさ」

「なんでえ」と畢五はいまいましげに唾を吐いた。

「俺ァ忙しいんだ。挙人様の酔狂に付き合ってる暇はねえ。用事が済んだらとっとと帰りな」

「まあそう言うなよ畢五。いやな、今さっき天安門《ティエンアンメン》の前を通りかかったら、たまたま大総管《ダアツォンクワン》の行列に行き合ったんだ。そしたらこいつ、すっかりいかれちまって」

文秀《ウエンシウ》の言いわけを聞くと、畢五は毛むくじゃらの胸板を反《そ》りかえらせて、鼓を打つように笑った。

「なんと、小李子《シャオリイツ》の轎《かご》に出会った！　そいつはたまらねえな。しかも親王様だってやすやすとは通らねえ天安門を、椅子《いす》轎《かご》に乗ったままとは。いったいあの大総管様もどこまで偉くなりゃ気がすむんだ！」

「まあ、そういうわけだから悪く思うな」

よかろう、と畢五はあっけなく機嫌を直した。

「やつの悪口を言うのはよそう。もとを正せば俺のおやじが手がけた太監だ。おかげでいまだにしこたま付け届けがある。みんながああも出世してくれりゃ、こちとらも楽なんだがなあ」

畢五は少し未練がましそうに春児《チュンル》を見下ろして続けた。

「小僧、二度と妙な気を起こさねえように、中を見て行くがいい。世の中そんな甘かねえってことがよくわかる。いいか、大総管大監にまで出世するのは五千人に一人、いやいったん大総管になりゃたいがいは何十年も居座るから、何万人に一人の勘定だ。それにしたところでいったん老仏爺《ラオフオイエ》の寵《ちょう》を失えば、先代の安徳海《アンドーハイ》みてえにあっさり殺されちまう。宦官《ホアンクワン》なんてのは、しょせんそんなものさ」

少爺《シャオイエ》の腰にしがみついたまま、春児はおそるおそる訊ねた。

「じゃあ、あの子らはどうして逃げ出さないの」

「みんな肚をくくってるのさ。てめえの大事な物を、三度三度の飯ととっかえるってんだ。そのうち運良く御前《ごぜん》小太監ぐらいに出世すりゃ、給金の他に多少の賂《まいな》いも入るしな。べつにあの小李子みたいになろうなんて大それたことァ、誰も考えちゃいねえよ」

畢五がそう言って振り返ると、丸窓につらなった子供らは亀のように首をすくめた。

「ま、これもいい勉強だ。せっかくだから見て行け」

畢五《ピイウー》は屋根の上に昇った赤い月に鎌の刃先をかざしながらそう言った。

古ぼけた廠子《チャンツ》の内部は思いがけぬ広さだった。

石段を昇って子供らの戯れる部屋を通り抜けると、薄汚れた厨房《ちゅうぼう》である。かまどに蹲《うずくま》った纏足《てんそく》の老婆が、誰に言うともない叱言《こごと》をぶつぶつと呟きながら火を吹いていた。

厨房の奥に、ぶ厚い鋼鉄の扉が観音開きに開いていた。その先は黒々とした石廊下が続いている。

そこまで来ると、先ほどから遠くに聴こえていた呻《うめ》き声が身近に迫った。生臭い匂いも近くなった。

石廊下に列なる蠟燭《ろうそく》の下を、春児《チュンル》はおよび腰で歩いて行った。

無人の石牢がある。寝台の藁蒲団《わらぶとん》には、牡丹《ぼたん》の花をまきちらしたように真新しい血がしみていた。床には欠けた茶碗や薬瓶や、阿片《あへん》の煙管《きせる》や血だらけの晒《さらし》が散乱している。

だが、人はいない。

その先に半分ほど扉を開けた小部屋があった。異臭と呻吟《しんぎん》はそこから洩れ出てくるらしい。

「見てみろ」

畢五に促されて、文秀《ウエンシウ》と春児は小部屋を覗いた。

温床《オンドル》の上に春児と同じ年頃の少年が、大の字にくくりつけられていた。戸口の人影を認めると、少年は真青な顔をもたげて呻いた。

「水、水を――」

すると、隣室から畢五と同じ皮の術衣を着た男が現れて、怒鳴りつけた。

「まだだ。あと二日、あさっての晩にはたんと飲ませてやる。それとも今飲んでくたばるか」

男は片手に錫《すず》の酒壺《ジュウフ》を持っている。知れ切った死のために与える水が入っているにちがいなかった。

背後から畢五が耳打ちした。

「うちは地安門《チイアンメン》の小刀劉《シヤオタオリウ》みてえに、何が何でも我慢しろとは言わねえ。なにしろ俺様で六代も続いた刀子匠《タオツチヤン》の名門だ。本人の意志ってやつを、ちゃんと尊重するんだぜ」

術衣の男は少年の顔の近くまで酒壺を持って行き、耳元で振った。

「飲むか」

少年は錫《すず》の輝きから目をそむけて唇を嚙み、激しく首を振った。少年が懸命に拒んでいるもの、それは死である。

「よおし、頑張れよ。あと二日だ」

少年は生と死の淵に仰臥《ぎょうが》したまま、きつく目を閉じた。

「どうして水を飲んじゃいけないの?」

慄《ふる》えながら春児《チュンル》は訊ねた。

「ああ。やつの傷口には白蠟《はくろう》の棒が入れてある。三日たたずに水を飲めば小便が詰まる。棒を抜けば肉が盛り上がって小便の道をとざす。どっちにしろあの世行きだ」

「飲んじまうやつもいるだろうな」

と、さすがの文秀《ウェンシウ》も眉をひそめた。

「だから気が強いぐれえじゃねえとだめなんだ。ごらんの通り、飲みてえやつには気のすむまで飲ませる。で、隣の石牢に放りこむってわけさ。いっときもたたぬうちに小便が詰まって、のたうち回って死ぬ。万にひとつも助からねえ」

呻《うめ》き声はひとつではなかった。どうやら扉の陰には、術後の渇きにあえいでいる者が何人もいるらしい。

二人は扉から離れ、畢五《ピイウー》の後に随《したが》って歩き出した。

「ちょうどかき入れどきでよ。新しい進士様が決まるころにゃ、毎年四十人がとこ注文がくるんだ。お城に二十人、王府がそれぞれ三、四人ずつだな。本当はこんなことしてる場合じゃねえんだぞ」

と、少し迷惑そうに畢五は言った。

石廊下はやがて鮮やかな朱に塗りたくられた一間《いっけん》の扉につき当った。八角の灯籠《とうろう》がふたつ、突然まぼろしのように現れた朱と金の装飾を照らし上げている。

文秀は立ち止まって、扉の両側に掛けられた金色《こんじき》の扁額《へんがく》を読んだ。

「陰陽掌《て》を反《かえ》して乾坤《けんこん》を定む、か。こっちは——方《まさ》に顕《あら》わさん男児大英雄、なるほど。言い得て妙だな。これは三国志の口上だろう、諸葛亮が『空城計』の場で唱えるやつ」

扉を開けようとして、畢五は感心したように唸った。

「へえ。おめえは四書五経を丸暗記しているばかりじゃねえんだな。芝居の台詞《せりふ》まで覚えてるたア、たしかにただ者じゃねえ」

「あいにく俺は論語より三国志の方が好きでな」

と、文秀《ウェンシウ》は頭《こうべ》をぐるりと回して、役者が見得《みえ》を切るしぐさをした。

「あいや、老夫は複姓諸葛、名は亮、字《あざな》は孔明、道号は臥龍なありィ――」

すると畢五《ピイウー》も皮衣をぎしりと軋ませ、鎌を振りかざして役者のふりを真似た。

「本帥《ほんすい》は馬上に将令を伝う。大小の三軍、聴くこと分明なあれェ――やれやれ、道楽者の挙人様にも困ったもんだ。だが、おめえみてえな変わり者が進士に及第すりや、世の中もちっとは変わるだろう」

わずかに緊張がほぐれたのもつかの間、畢五はいきなり舞台を転ずるように朱色の扉を押し開けた。

濁った空気が目を刺した。

春児《チュンル》がまず見たものは、広い煉瓦造りの部屋の、真正面に据えつけられた祭壇である。

朱と金にうずめつくされた神前には香が薫《た》かれ、神仙の姿を象《かたど》った奇怪な掛箋《クアチエン》が張りめぐらされている。そして室内はすべてが神殿まがいの、金箔の天井と朱泥の床と壁で被《おお》われていた。

「すごいな、これは……」

文秀は感嘆した。

「ひとりの人間が生れ変る場所だ。いわばおふくろの腹の中よ」

「なんだかここだけが別世界だな」

「金はかかっている。それだけ出世した太監《タイチエン》が多いってことさ。何たって当店は六代続いた老舗《しにせ》だからな。地安門《チイアンメン》の小刀劉《シヤオタオリウ》なんか目じゃねえって——まずお浄《きよ》めだ」

畢五は神前の瓶《かめ》から酒を掬《すく》いとり、ひしゃくごと来客に勧めた。

一口飲んで春児は顔をしかめた。灼《や》けるような高粱《カオリヤンジユウ》酒である。

「さて、仕事の続きを始めるか」

畢五は返されたひしゃくに酒をくみ、喉を鳴らして一気に呷《あお》ってから、鎌の柄に勢い良く沫《しぶ》きを吹きかけた。

真紅の毛氈《もうせん》を敷いた温床《オンドル》に全裸の男が横たわっている。これは二十歳すぎに見えるたくましい青年だ。

灯籠《とうろう》の光に照らし出された男の肌は、顔から手足の先まで、鮫皮《さめがわ》のように鳥肌立っていた。その両手を頭上から、両足をそれぞれ片方ずつ、三人の屈強な弟子が押さえつけている。

弟子たちはみな畢五と同じように弁髪を晒し木綿でくるみ、片肌を脱いだ皮の上衣と、丈の短い黒皮の股引をはきこんでいた。黒ずくめの彼らは、いかにも華やかな舞台の上の黒子のように見えた。

「まったくご苦労なこったぜ。遊び呆《ほう》けて借金だらけ、その挙句が二十五にもなって浄身《チンシェン》だとよ。やめろと言ったたって聞かねえ。この手合いはこっちも難しいし、うまくいったたって出世しねえんだがなあ」

と、聞こえよがしに畢五《ピィウー》は言った。翻意するなら今からでも遅くないぞ、とでも言いたげである。

「阿片はくれたか」

「はい、親方。右向きに四服、左向きで四服。それでようござんしょうか」

弟子の答えに畢五はうむと肯き、阿片に酔った青年の顔色を覗きこんだ。

温床《オンドル》の上に楔形《くさびがた》の台を敷いて、青年は半臥の姿勢に仰向いている。慄《ふる》える手足は弟子たちによって押さえつけられているが、もちろん抵抗しているふうではない。肉体の緊張のわりに表情がうつろなのは、阿片のせいだろう。

部屋の隅で何やら薬を調合していた弟子が、ひとかかえの晒し木綿を持って走って来た。手慣れたふうにまず青年の胴を腰骨の上のあたりで縛り上げ、両方の足の付け根を、肉がえぐれるほどに堅くくくる。

別の弟子が湯気の昇る赤銅の器を持ってきた。胡椒油《こしょうあぶら》の強い芳香があたりに立ちこめた。

畢五は手にした鎌を火鉢の燠《おき》で焙《あぶ》りながら、二人の見学者に部屋の隅の椅子を指し示した。座れというより、後ろに退がっていろということであるらしい。

文秀《ウェンシウ》と春児《チュンル》は後ずさり、椅子にはかけず壁際に並んで立った。

弟子が若者の股間をていねいに洗う。畢五は焼けた鎌を下げ、その足元に立った。巨《おお》きな影が若者の全身を被った。

「後悔《ホウフイ》、不後悔《ブウホウフイ》――」

後悔しないか、と畢五は低い、改まった声で告げた。それは格別に選んだ言葉ではなく、執刀に際して必ず宣告せねばならない決まり文句のようであった。

阿片でどんよりと曇った表情をひきつらせて、若者は初めて口を開いた。

「早えとこやって下せえよ、師匠。すっぱりと」

その返答を聞くか聞かぬかのうちに、畢五は獣のように敏捷《びんしょう》な動作で温床の裾にうずくまった。

弟子たちの腕に力がこもり、頭上に両手を引き上げられたまま、若者は顔をそむけた。

肉の焼ける匂いがした。

若者は怒鳴るような猛々しい悲鳴を上げたが、それはほんの一声のことで、じきに気の抜けた泣き声に裏返った。

彼のうちに起こった男性との訣別を、その声はありありと物語っていた。

畢五《ビイウー》は立ち上がると、腰のしごきをほどいて胸の返り血を拭った。弟子のひとりが慣れた手付きで、傷口に白蠟の棒をずいと差し入れた。そこでもう一度、若者は金切声を上げた。

灯火のもとに晒《さら》け出された若者の股間を、見学者は息を詰めて見た。いったいどういう処置を施したのか、出血はほんの一瞬のことで、傷口は真白な紙で被われていた。足元の皿の上に、切りとられた陰茎と陰囊《いんのう》とが無造作に置かれていた。

「起きろ、まだ終わったわけじゃねえ」

畢五が叱咤《しった》すると、若者は弟子たちに介添えされて泣きながら半身を起こした。その顔からは闘志も覚悟も消えうせていた。そればかりか男としてのあらゆる野性と感情とが消えているのだった。

朱と金の舞台に出現した、男でも女でもない種族の姿を、春児《チュンル》と文秀《ウエンシウ》はそのときたしかに見た。

若者は気の抜けた裏声で泣きわめきながら、両肩を弟子たちに支えられて歩き出した。

「しっかり歩け。悪い血を出しちまわねえと傷が膿《う》むぞ」

若者の股間からは再び血が滴り流れ、引きずられて歩く床の上に何重もの弧が描かれていった。

畢五は鎌を弟子に渡すと、手を拭いながら二人のところにやってきた。

「ああして三時間も歩かせる。それから先は、さっき見てきたとおりさ。さてと——どうだ、あれを肴《さかな》にして一杯やるか」

弟子は若者の肉の片身を、銀色の盤子《バンツ》に浸して洗っている。布で水気を拭き、火鉢の上にかけた胡椒油の煮えたぎるのを待って、二人に笑い返しながらそれを鍋の中に投げ入れた。

獣肉を揚げるのと同じ香ばしさがたちこめて、春児は胸が悪くなった。

二人の顔色を窺いながら、畢五は意地悪く笑った。

「安心しろ、冗談だ。さっきのお返しだよ」

肩から息を抜いて、文秀が訊ねた。

「あんなもの、油で揚げてどうするんだね」

「質草さ」、と畢五は答えた。

「ほれ、あのとおり」

部屋の奥のかまどを畢五《ピイウー》は指さした。煙抜きの天井は高く、その涯《はて》は見えないが、渡された梁《はり》に陶器の瓶《かめ》がぶら下がっていた。夥《おびただ》しい数である。

「手術代は六両だが、どだい宦官《ホアンクワン》になろうなんてやつらにそんな銭はねえ。おまけに宮仕えに出るにゃ身仕度に金もかかるし、後宮や王府の係の者に心づけだってせにゃなるめえ。そこまで面倒を見るからにァ、質草を押さえとかにゃな」

「だが、べつに値打ちのあるものではなかろう」

いいや、と畢五は息も絶え絶えに引き回される若者を叱りつけながら言った。

「昔からの決まりでな、やつらが仕官するとき、昇進するとき、配置がえのとき、そのつど験宝《チエンパオ》といって、あれを上司に見せなけりゃならねえんだ。やつらにとっちゃ生涯つきまとうお宝よ。つまり、浄身《チンシエン》した証《あか》しだな。それともうひとつ、てめえが死んだとき一緒に棺に収めなけりゃならねえ。さもなくば、来世じゃ雌の騾馬《らば》に生まれ変わる」

春児《チュンル》は我慢しきれずに部屋から駆け出し、扉を転がり落ちて石の上に吐いた。脂汗が全身から噴き出た。

「どうだ春児。さすがの糞拾いも、これには参ったようだな」

そう言う文秀《ウェンシウ》も、しきりに汗を拭っていた。答えようとする言葉は塊《かたまり》になって腹の底から吐き出された。文秀は優しく春児の背をさすった。

「なあ、わかったろう。体を売ってこの先の人生を買おうなんて、愚かなことさ。白太太《パイタイタイ》の言ったことは、もう忘れろよ。いいな」

抗《あらが》う気力はどこにも残ってはいなかった。春児をこれほどまでに参らせたものは、ただ生理的な不快感ばかりではない。貧乏というものの極みの姿を、そしてなおかつ癒しがたい立身出世への渇望を、春児は目のあたりにしたのだった。

「わかったか、小僧。まあ明日からは心を入れかえて召使いに徹することだな。それでもあきらめがつかねえってんなら、いつでも来い。こっちも商売だ」

畢五の声が石の上に響いた。扉が閉ざされると、文秀は腰の抜けた春児を背中にしょって石廊を歩き出した。

「ごめんよ、少爺《シャオイエ》。おいら小便までちびっちまった。服が汚れちまう」

「かまうもんか。それよりすっかり遅くなったな。宿じゃてんやわんやだろう」

気の利いた冗談を言いかけて文秀はおし黙り、早足になった。先ほど寝台で呻いていた少年が、石牢の中にぺたりと座っていたのだった。少年は錫《すず》の酒壺《ジュウフ》を胸に抱いたまま、光のない目で二人を見送っていた。

きな息をした。

廠子《チャンツ》の中庭に走り出ると、文秀《ウェンシウ》はやっとの思いで水面に浮かび上がったように大

「もういいよ、少爺《シャオイェ》。おろして」

「いや、ちょっとやりすぎた。俺もまさかここまでひどいものだとは思ってもいなかった。帰ってゆっくり寝ような、疲れた」

女装の少年が木蓮の下で鞠《まり》をついている。きっと自分はつかの間の悪い夢でも見ていたのだろうと春児《チュンル》は思った。

どこから見ても女の子としか思えぬ愛らしい少年は、鞠を胸に抱いて背負われた春児に微笑みかけた。

「にいさんも、天子《ティエンツ》様にお仕えするの?」

無邪気な問いかけに、春児は激しく首を振った。文秀は関わりを避けるように去りかけ、ふと思いついたように、丸い月亮門《ユエリャンメン》の中から振り返った。

「きみは?」

「おいら——じゃなかった、あたしはもうじき。この夏にはしてくれるって、親方が言ってたの。体は小さいけど、年は行ってるんだよ」

女装の少年はむしろ誇らしげにそう言うと、戯《ざ》れ唄を口ずさみながら鞠をつき始

めた。低い満月が小さな影を二人の足元まで倒していた。

死胡同《スーフートン》の闇はじっとりと湿っていた。廠子から呻き声は聴こえず、石を打つ手鞠の音だけが、どこまでも春児を追ってきた。

宿に帰るまでの道すがら、文秀は一言も口をきかなかった。

五

　光緒十二年の会試は北京順天貢院に二万余の挙人を集めて開かれた。

　頭場《とうじょう》は陰暦三月九日、挙人たちはその前日の未明から、合図の号砲とともに入場を開始する。

　出題は翌九日の早朝、四書題三、詩題一が配布される。厩《うまや》のような狭い個房でまる一昼夜にわたり答案を作成したのち、翌る十日の日没までに提出、退場する。

　第二場《じょう》は十一日入場、十三日退場で、出題は五経題五問である。

　同様に第三場は十四日入場、十六日退場とされて、策論すなわち政策論が五題、出題される。

　つまり受験生たちは途中二度の休憩退場を挟み、つごう九日間にわたって難解な答案を書き続けるのであった。

　体力に欠ける者は倒れ、老いて気力の消《う》せた者は死に、気弱な者は狂う。すでに同様の要領で各地の予備試験を勝ち抜いてきた彼らでさえ、この会試に臨んでは多くの落伍者を数えた。

進士の栄誉は指呼の間にある。しかしそのわずかな距《へだた》りに立ち塞がる壁は、誰の目にも圧倒的であった。

河北静海《チンハイ》県の挙人、梁文秀《リアンウエンシウ》が貢院の大門をくぐったのは八日の夕刻であった。すべての受験生が身体検査を受けて入場をおえるまでには、まる一日を要するのである。

高い城壁に囲まれた貢院の大門を抜けると華麗な儀門があり、さらにことわざに言われる龍門を登る。

その先は涯《はて》も見えぬほどの広い並木道が続く。道の両側には号筒《ハオトン》と呼ばれる石畳の通路が無数に延び、その片側におびただしい独居の個房が並んでいる。

貢院のほぼ中央には二万余の個房を見はるかす明遠楼《ミンユアンロウ》が聳《そび》え、さらに各号筒の要所にも瞭楼《りょうろう》が建っている。割り当てられた個房に至るまでの道を、挙人たちは三日二晩を過ごすために必要な食料や炊具や蒲団《ふとん》を背負いながら歩く。

個房はちょうど煉瓦造りの厩《うまや》である。壁と天井はあるが扉はない。挙人たちはまず持参した筵《むしろ》や厚布で、雨風の吹きこまぬように帳《とばり》を張る。室内には椅子も机もなく、ただ頑丈な三枚の板が立てかけられている。それらを細長い号舎の横に渡して椅子とし、机とし、棚とする。

その準備さえおえてしまえば、あとはひたすら翌朝に配布される問題を待つばかりであった。

当然、貢院内に書物を持ちこむことはできないから、この待機時間はおそろしく長い。物心のついた時分から寸暇を惜しんで学問をしてきた挙人たちは、こうした空白の時間の過ごし方を知らなかった。

梁《リアンウエンシウ》文秀は手際よく号舎の準備を整えると、持参した蒲団《ふとん》にくるまって仰臥《ぎょうが》した。

ひと眠りしておこうという肚《はら》なのだが、いざ横になってみると気分が昂《たか》ぶって眠るどころではない。目を閉じれば、貢院にぎっしりと詰まった二万人の鼓動が耳を打つようである。

ぼんやりと煉瓦の壁を見つめていると、かつてこの狭い号舎の中で苦悶し続けた先人たちの執念が、魔物のように被《おお》いかぶさってくる。

平常心を失うまいと、文秀は意味なく立ったり座ったり、ぶつぶつと四書の一節を口ずさんだりした。

日は怪しいほどにゆっくりと昏《く》れ、月もまた絵のように低いまま動かない。

ふいに号筒《ハオトン》の奥から兵卒の荒くれた声がしたと思うと、丸裸に帽子だけを冠った挙人が引き立てられてきた。二人の兵卒に両脇を摑まれたまま、全裸の男はうしろ向きに引きずられて行く。

「おお、いい月だ。見たまえ諸君！　——月輪まさに天の両角にかかる、と。千村万落に荒鶏の鳴き、大車小車あいまじりて行く、か」

夕まぐれの空に昇りそめた月を仰ぎながら、男は詩文を叫び続けているのだった。

「気の毒にのう……」

と、隣の房から首だけを突き出した挙人が呟いた。振り返ればぼろぼろの衣をまとった白髪白髯《はくぜん》の老生である。

「どうしたんでしょうかね」

馬鹿笑いを響かせながら曳かれて行く男を見送りながら、文秀は訊ねた。

「狂うたのじゃよ……ああ、おぬしは初めてかな」

狂人を見るのが初めてか、と訊いたのか、あるいは会試に応ずるのは初めてか、という意味なのか。答えあぐんでいるうちに、どうやらそれが同じ意味であるらしいことに気付いて、文秀は暗い気分になった。

会試に狂人はつきものなのだ、と老人は言っているにちがいない。隣室から出てきた老人は文秀《ウエンシウ》を下から仰ぎ見るほど腰が曲がっていた。

「わしはもう十六回目じゃでな。あんなもの何度見たか知れぬわ」

発狂した挙人よりも、応試十六回に及ぶという老生の方が文秀にとっては不気味であった。

会試は三年に一度の定めであるから、単純に計算すると四十八年、慶事のたびに行われる恩科会試をいくどか加えたとしても、応ずること四十年はくだるまい。

「十六回！　それはすごい。畏れ入りました」

思わず口にすると、老人は褒められたのか馬鹿にされたのかわからん、というふうに苦笑した。

「白髪三千丈とはまさにわしのことじゃよ。そう、初めての応試はの、宣宗道光帝の御代じゃった。もっともその前に郷試を二度、院試を三度失敗しておるから――」

と、老生は枯れ枝のような指を折って溜息をついた。「かれこれ七十年ちかくも応挙し続けておる。おかげでこの通り、挙人の藍衣も灰の色じゃわ」

老生の藍衣はすっかり色褪せ、まるで野良着のようにあちこちにつぎが当てられていた。

狂人の詩を吟《ぎん》ずる声は、姿が見えなくなってからも迷路をさまようように聴こえていた。

号筒《ハオトン》の狭い空に目を細めて老人は言った。

「では、そこで質問じゃがの。今の男の口ずさんでおった詩じゃが、出典を述べよ」

教師のような口ぶりである。国では寺子屋でも営んでいるのだろうか。

「ええと――元の尹廷高《インテインカオ》、でしたかね。たしか『蘆溝望月』の題」

老生は彫像のような皺をいっそう深めて、文秀に笑いかけた。

「滔々《とうとう》たる流水、去って声なく、ですか」

「ふむ。起句を述べよ」

「ちがいましたか？」

「――正解じゃ。元代の詩文まで暗記しておるとは、おぬしなかなかのつわものじゃの。よいか、若いうちじゃぞ。気力に欠け、体力も衰えれば、いかに学問を積もうとも進士登第は叶わぬ。科挙とはそういうものじゃ」

「はあ……」、と文秀はつなぐ言葉を失った。

予備試験の間にも、痛ましい老生には何人となく出会ったが、これほどまでに年を経た老学究を見るのは初めてである。年齢を訊こうとしてためらう文秀《ウエンシウ》の心を見透すように、老人はうつむいて言った。

「わしもめでたく九十五になった。ということはの、とりあえず誤謬《ごびゅう》なき答案を書き了《お》せば恩典にあずかる。翰林院《ハンリンユアン》編修の名誉官位じゃ。昔日の齷齪《あくせく》、嗟《なげ》くに足らず、じゃよ。――もっともこの九日間、命ながらえばの話じゃが」

老人は壁に倚《よ》って笛のように喉を鳴らすと、乾いた咳《せき》をした。丸い背をさすりながら、文秀は老生を励ました。

「大丈夫ですよ、先輩。七十年もの努力がこの期《ご》に及んで報われぬはずはありません。元気を出して下さい」

「ああ。おぬしはやさしい男じゃの。それにひきかえ――」

と、老人は隣の号舎にちらと目を向けて、聞こえよがしに言った。

「こっちのお隣りさんは、先刻からわしが咳《しわぶ》くたびに壁を蹴って怒鳴る。言うにこと欠いて、くそじじい早くくたばれ、と」

言い終らぬうちにその先の帳《とばり》が荒々しく開かれ、真新しい雀頂《じゃくちょう》の冠《かんむり》がぬっと現れた。

「うるせえんだよ、じいさん。俺はここで寝るのも予定のうちなんだ！」

「ふん。わしはここで死ぬるのも予定のうちじゃわい」

「そうかい。そりゃ結構なことだ。男子の本懐か。弱気を言わずに名誉進士をめざせ、その翰林院の博士様とやらをよ」

男は悪態をつきながら、太い眉をひそめて文秀を見つめた。

「よう。静海《チンハイ》の少爺《シャオイエ》じゃないか。奇遇だな」

前年の郷試《きょうし》で顔見知りになった河間府《ホーチェン》の挙人、王逸《ワンイー》である。

「なんだ、諸君らお友達かね」

と、老生は二人の若者を見比べた。

「友達と呼ぶには畏れ多いがね。こちらは去年の直隷《ズーリー》郷試の経魁《けいかい》、王逸君ですよ」

へえ、と老生は王逸の鮮やかな藍衣を眺めた。経魁とは郷試及第者のうち上位五名に与えられる尊称である。

「直隷省の経魁！　それはすごいの。合格確実じゃわ」

王逸は応挙七十年の老生を見くだすように、鼻で笑った。

「何も珍しいことじゃあるまい。ここにはどこそこの経魁だけで何百人もいるんだ」

「ごもっともじゃ。かくいうわしも、何を隠そうもとは杭州府の経魁じゃて」

老人は笑いながら咳きこんだ。文秀《ウェンシウ》と王逸《ワンイー》は顔を見合わせた。

浙江省杭州府といえばかつての南宋の都、古くから多くの大吏高官を輩出する学芸の地である。同じ経魁といっても杭州のそれは当然水準がちがう。貴州雲南の辺境ならばいざ知らず、杭州の経魁ともあろう人物が七十年も浪人することなどあるのだろうか。

老生はまったく住み慣れた家に入るように、粗末な筵《むしろ》の帳を押し開けながら、少し淋しげに、しかしはっきりと言った。

「郷試は百人に一人を採る難関じゃ。だが、この順天会試は、その選りすぐった二万の中からあえて三百を採る。わかるかな。挙人はいずれも甲乙つけがたい才子じゃぞ。こうなると、当落はなまじいの学力ではいかんともしがたい。運気の勢いに乗らねばならんよ。すなわち、若いうちじゃて」

老生の言葉には鋼《はがね》のような実感がこもっていた。落第してさらに学問を積んでも、三年の間に削《そ》がれた運気を補うことはできない——老生はそう言っているにちがいなかった。

王逸もたぶん、文秀と同じことを考えた。いかにも明晰そうな顔を歪めて、王逸はせせら笑う。

「まったくとんでもないじいさんと隣合ったものだ。げん直しに腹ごしらえでもするか。来いよ、少爺《シャオイエ》」

　王逸は文秀を号舎に誘った。

「おい、その少爺《おぼっちゃま》というのはやめてくれないか。名は梁文秀《リアンウエンシウ》、字《あざな》は史了《シーリアオ》だ」

「知ってるよ。だが、おぼっちゃまにちがいはあるまい。静海《チンハイ》の梁家といえば誰だって知っている大地主じゃないか。今度もまたぴかぴかの騾車《らしゃ》を列《つら》ねてやってきたのかね――そういえば、あにきはどうした」

「落ちたよ。みそっかすの俺がうかったんで、みんなあわてていた。やあ、ごちそうさん」

　王逸は荷籠の中から油紙にくるんだ饅頭《マントウ》を取り出して文秀に勧めた。並んで腰を下ろすと、肩が押し合うほどの狭さである。長身の文秀と並ぶと肩の高さは拳ひとつもちがうが、王逸の胸はがっしりと厚い。そのせいか物腰も落ちついて見え、挙人というよりすでに進士の貫禄があった。

「君の答案は読ませてもらったよ。模範解答は出回るからね。いや、すばらしかった」

　と、饅頭をかじりながら文秀は言った。決してお世辞ではない。郷試の発表の後で公開された成績優秀者の答案のうちでも、とりわけ王逸《ワンイー》のそれは舌を巻くほどの出来ばえであった。

「父上は河間府《ホーチエン》のお役人だと聞いたが、さぞ名門なんだろうね」

するとと王逸は饅頭《マントウ》を噴いて笑った。

「とんでもない。うだつの上がらぬ小役人さ。もっとも税吏だから実入りはいいんだが。俺は養子なんだ」

「養子？」

「そう。実子が三人いるんだが、みんなぼんくらでな。それで、童生のできの良いのを片っ端から金で買って養子にしている。字《あざな》は、上から嘉一、嘉二、ときて、俺が六番目の嘉六《ジアロウ》。そう呼んでくれ」

ありそうな話である。もし兄も自分もともに出来が悪かったなら、きっと父は同じことをしただろう、と文秀《ウェンシウ》は思った。資産家が尊敬されることはない。しかし一族から進士を出せば、その瞬間から地主も税吏も名門と呼ばれる。

王《ワン》家はついに悲願達成、ということになるのだろう。

「だが、考えてみれば複雑な成りゆきだね。君が進士に及第したら、養子に出したご実家はさぞくやしかろう」

王逸は虚を突かれたように顎の動きを止めた。

「べつにくやしくはないさ。俺は王の家で上等な教育を受けたから、ここまで来たんだ。実家ではとうてい無理だよ——緑営《りょくえい》のさむらいだからな」

「へえ、軍人か」

「うん。ところが実父は、俺がまだおふくろの腹の中にいる時分に、太平天国の征伐に行って死んじまってな。実の兄貴たちもみんな兵隊にとられた。そこでおふくろは、末っ子の俺だけは役人にしようとして、読み書きを習わせた、というわけさ」

「なんで養子に出したんだね」

つい口に出してしまってから、文秀は恥じた。理由は自明である。

王逸はいちど蔑《さげす》むような目を文秀に向けたが、嚙んで含めるように答えた。

「だから、金が続かなかったのさ。自分で言うのも何だが、俺は童生のころにはいつも首席だった。噂を聞いて近在の金持ちがどっと寄ってきたんだ。大金を積んで、養子に寄こせとな。だが、おふくろは俺を売ったわけじゃないよ。上の試験を目ざすには金がかかる。書物や、筆や、紙や、着る物ひとつにしたって、とてもまかないきれるものじゃない。おふくろは俺の将来だけを考えてそうしたんだ——まあ食え。うまいだろう」

　他の挙人たちとはいっぷう違った王逸《ワンイー》の印象は、彼の体の中に流れる軍人の血のせいかも知れない。

　剛直な感じのする大口を開けて、王逸は饅頭《マントウ》をほおばった。

「実は、ゆうべ夜中にな、おふくろがこっそり宿を訪ねてきたんだ」

　声を低めて、王逸は言った。

「実家のおふくろさんか？」

「ああ。河間《ホーチェン》からずっと歩きづめてきたらしくて、泥だらけだった。窓を叩かれてとび起きたら、月明りの中庭に黙って立っていたんだ」

「励みになるな。いい話だ」

「そんなんじゃないさ」

　と、王逸は溜息をついて雀頂《じゃくちょう》の帽子を机の上に投げた。

「おふくろのやつ、一言も口をきかずにこの饅頭を俺に押しつけてな、庭のぬかるみに両膝をついて手を合わせたんだ。俺が声をかけようとすると懸命に首を振って、また逃げるように帰って行った。ひょこひょこって。あの纏足《てんそく》でどうやって都まで歩いてきたんだろう」

文秀《ウェンシウ》は口の中の饅頭を呑み下すことができなくなった。

「まいったな。そうとは知らず、勝手に食っちまった。すまん」

「気にするな。うまいからおぬしに勧めた。ただそれだけのことだ」

二人は黙りこくって饅頭を食った。口を動かしながら長いこと考え、ようやく結論を見出したように王逸はぽつりと言った。

「つまり、科挙登第は俺の名誉にかかわることだ。誰のためでもない」

この男にはかなわぬ、と文秀は思った。

沈鬱さを吹きとばすように、王逸は突然と笑い出した。

「しかし、おぬしは噂通りの変り者だな。静海《チンハイ》の梁《リアン》少爺《シャオイエ》は何かのまちがいで挙人になったのだと、みんなが言っている。だが今しがた、じいさんとのやりとりを見ていて、なるほどと思い当たった」

「え？　——俺は何もしちゃいないよ」

「いや、挙人様なんてのはどれも鼻持ちならん奴ばかりだ。もちろん俺を含めてな。だがおぬしは、あのおいぼれを先輩と呼んだ。体をいたわり、礼も尽くした。要するに四書五経を丸暗記しているぽんこつどもとは違って、おぬしはそれを体得している、ということになる」

「やめてくれよ、俺は何もそんな……」

「それさ。何も考えずに行動に移しているということが、体得している証拠だ。しかしそういう君子を称して、人は変人と呼ぶ。孔子様が今の世に現れたら、やはり変人だったろうな」

文秀《ウェンシウ》は机に肘を置いて、王逸《ワンイー》の言葉をしばらく考えた。褒められて悪い気はしないが、王逸がことさら自分を褒める理由はないはずだ。

「わからんかね、史了《シーリァオ》。この国はどこかまちがっているんだよ。我々が生れてから二十年の間、いったい何が起こった。内乱と、外国からしかけられた理不尽な戦。その結果もたらされたものは、民衆への弾圧と不平等条約だけさ。そして不幸の原因はすべて我らのうちにある。つまり、論語読みの論語知らずばかりが国を支配したからだ」

王逸の言葉は簡潔で、しかも強い説得力があった。

「君は、才子だね」

と、文秀は感嘆した。

「なあに、ここまでたどりついた者はみな才子さ。おぬしだって人後には落つまい」

「いや、簡単なことを難しく述べるのは簡単だが、難しいことを簡単に言うのは難しい。まこと才子の芸だな。たいしたものだ」

すると王逸は考えるほどもなく、くすっと笑った。

「すばらしいよ、史了。おぬしこそ真の才子だ。俺の言うことを一瞬で理解し、なおかつひとことで評価した男は初めてだよ——」

そこで少し考えるふうをし、文秀の目をきっかりと見据えて王逸は口ずさんだ。

「——惟《おも》うに一国の善治を成すにあたりては俗儒《ぞくじゅ》の論を語らず、すべからく心《しん》に基《もとづ》き命《めい》に則《のっと》り、敬を貫き、庶事万民の利を計るを以てすべし。天下百姓の安寧《あんねい》なくして何ぞ四百《しひゃく》余邦の永泰あらんや。九職相議して朝《あした》に一令を発すといえども、社稷《しゃしょく》の誹《そしり》を得べくんば忽《たちま》ち夕《ゆうべ》に一制を改む。けだし政事は柔にして和すること、剛にして毅なるに優れる也——」

まるで経文でも唱えるようにすらすらとそう諳《そら》んじてから、王逸は饅頭《マントウ》の残りをほおばった。

それは昨年の郷試で文秀が書いた策題の一部分であった。

「おい。何だよいったい。それは俺の答案じゃないか。どうして君が暗記しているんだ」

「そう愕《おど》くことはあるまい。わが家の有能な家庭教師がな、今後の対策にと郷試及第者のめぼしい答案を買ってきた。その中のひとつさ」

「俺の答案が出回っている？　まさか。九十何位でやっとこさ合格したんだぞ」

「それがだな」、と王逸《ワンイー》は考え深げに言った。

「家庭教師の解説によると、おぬしの答案はたった一字の誤りで第一等をのがした、というんだな」

「まさかね。俺は信じないよ」

言いながら文秀《ウェンシウ》は、胸の中に広げた郷試墨巻に一点の朱筆を入れられたような気分になった。さて、誤りとは何だろう。

「いちおう後学のために、その誤りとかを聞いておこうか」

「うん——『すべからく心《しん》に基《もと》づき命《めい》に則《のっと》り、敬を貫き』、というところさ。つまり解説によれば、真心をもって使命を自覚し——そこまではいいんだ。その後の『敬を貫く』という意味が釈然としない。たとえばここを『忠を貫く』とすれば、おぬしは第一等だったろう、というんだな」

「いや、それはちがう。俺の言わんとしたことは、畏れ多いが陛下に対する『忠』ではないぞ。万民に対する『敬』を貫け、ということなんだ」

「そうだ。だから試験官も家庭教師も頭が足らんというのだ。つまりだな、アホどもはおぬしの言わんとするその『万民に対する敬意』という進歩的な概念が、てんで理解できなかったというわけだ。そこで、『敬を貫く』は誤用で、正解は『忠を貫く』か『天敬を貫く』だと判定した」

「それでは全体の意味も通らんよ。論文がめちゃくちゃになる」

「だから、やつらは世界観を全く持たないから、全体の意味も皆目わからんのだよ。だが、試験官が徹底的なアホだったのはおぬしにとってむしろ幸いだった」

「どうしてだね」

「だってそうだろう。おぬしの策論はつまるところ封建制度と形式主義の否定だもの。意味を正確に読みとる試験官だったら、おぬしはまちがいなく落第している」

文秀は暗い気分になった。政策論の中で現体制を批判することはもちろん禁忌《きんき》である。そうかといって抽象的な空論ばかりを書きつらねたのでは策論の意味がない。つまり故事にこと寄せて、婉曲に政治を論ずることこそが答案を書くこつなのである。

八股文《はっこぶん》の書式には自信がある。今までの試験官はその文章にまどわされて、策論の急進的な内容を是としたのではないのか。だとすると、当代一流の学究が採点にたずさわる順天会試では、自分の答案はとうてい通用しないだろう。

しかし、だからといって今さら別人のような論文を書けるほど器用ではないし、郷試の答案との読み合わせでもされたら思想が定まらぬという理由だけでも不可となるだろう――。

「何だいその顔は。心配するには及ばんよ、会試の考官は必ずおぬしの論文を理解するはずだ。

「だがな、嘉六《ジアロウ》。会試はそうでなければならない」この国に顧炎武や黄宗羲のような実証主義者はもういない。老仏爺《ラオフオイエ》の専制に怖れをなして、現実的な問題など口にすらしない俗儒《ぞくじゅ》しか残ってはいないんだ」

「声が大きいぞ、史了《シーリアオ》」

と、王逸《ワンイー》は号筒《ハオトン》の足音を気にしながら、小さな吊子《ティアツ》を傾けて、碗に水を注いだ。

「だったら、われわれが政事を正せば良い。そしてきっと彼ら俗儒たちも、内心はわれわれを待望していることだろうよ」

いつしか帳《とばり》を透かす月かげは退き、号舎の中は闇にかえっていた。王逸は瞼をしばたたかせながら燭台《しょくだい》に火をともした。

「君はずいぶん自信があるようだね。うらやましいよ」

「おやおや、おぬしも隣のじいさんの毒気に当たったか。実はな、俺がじいさんに辛く当たるのはべつに非人情だからじゃない。おそろしいんだよ」

燭台の灯りに照らし出された王逸の顔が、ふと気弱な少年のように見えた。人前には決して晒《さら》すことのできぬ、不安と焦燥に満ちた受験生の顔だった。きっと自分も同じ表情をしているにちがいないと、文秀《ウェンシウ》は思った。

「まあ、一杯やれ」

吊子から注がれたものは、芳醇な酒であった。

「なんだよ、こんなもの持ちこんだりして」

「寝酒さ。今晩はゆっくりと寝なければな。どうせ明日の晩は一睡もできやしないんだ」

ぐいと半ばをあけて、文秀は碗を王逸の胸に返した。

「よし、肚は決まったぞ。なあ嘉六、ものはついでだ、ここで義兄弟の盃をかわしておこうじゃないか。貢院の契《ちぎ》り、というのも悪くはない。いやか？」

一口の酒で急に勢いづいた文秀に、王逸は目をしばたたいた。

「とんでもない。光栄だよ、史了」

碗を飲み乾すと、二人の若い挙人は藍衣《らんえ》の袖をうち振って高らかに笑った。

六

風の凪《な》いだ雲の間に満月が現れたそのころ、春児《チュンル》は膝を抱えて菜市口《ツァイシコウ》の雑踏の中に座っていた。

挙人が貢院に入場してしまうと、従者たちはようやく自由になる。この夜をひそかに心待ちしていた従者たちで、地方会館街に近い菜市口の盛り場は賑《にぎ》わっていた。

酒場や料理屋の立ち並ぶ広い街衢《がいく》には、まるで祭りの宵のように灯を掲げた露店が犇《ひし》めいている。

古着屋、床屋、猿回し、傀儡師《くぐつし》、鋳掛屋《いかけや》、さまざまな食い物の屋台。客との言葉が通じ合わぬ分、商人たちの声や身ぶりは大きくなる。そのやりとりが広場をいっそう活気づけていた。

芸人たちの打ち鳴らす銅羅《どら》や女の唄声や剣戟《けんげき》の響きが、ひとつの音になって群青《ぐんじよう》の夜空を押し上げている。

めくるめく都の夜を駆けめぐり、春児は酒場の軒先に腰を下ろして飴《あめ》菓子をなめていた。

見聞きするもののすべてが夢のようであった。どの一部分に目を向けても、梁家《リアンジア》屯《トン》の田舎では想像もつかない光と音とに満ちている。それらがぐるりと自分を取り囲み、しかもいつ果てるとも知れぬ彼方にまで続いている。

とうてい味わい尽くせぬ幸福のただなかに春児は座っていた。

かつぎ売りから買ったさんざしの糖胡蘆《タンフル》もまた、夢のような甘さである。頬を膨らませてゆっくりと砂糖を溶かしていくと、やがて口の中にいっそう甘い果肉がはぜる。

さて、この飴をなめおえてしまったら、次には何を買おうか、と春児は考えた。祝儀に貰った銭はまだ懐にある。なにしろ金さえ払えば、ここではどんなものでも手に入るのだ。

すぐ目の前の街頭に華やかな提灯《ちょうちん》を押し立てて、鼠使いが店を開いた。滑稽な衣裳を着た主人が銅羅を叩き、人寄せのラッパを吹き鳴らす。

「さあておたちあい。この鼠はそんじょそこらの憎たらしい家鼠やどぶ鼠とは素姓がちがう。九重《ここのえ》のお城の奥の奥、黄金《こがね》の御殿に住みついて、畏れ多くも老仏爺《ラオフオイエ》様の御膳のおさがりを失敬していた白鼠だ。ごらんの通り器量もいいが、頭もいいぞ

──」

口上を述べながら鼠使いが掌の上の二十日鼠を見せびらかすと、人々は小道具の載った卓の前に集まり出した。

鼠は主人の声に合わせて梯子《はしご》を登り、頂きにつけられた小さな輪の前でぴたりと立ち止まる。

「──おや、どうした。ふむふむ、この先はただではできんか。これは参った、何と図々しい小鼠じゃ。さあてお客さん、お城育ちの役者のために、ひとつ酒手をはずんでもらいましょう」

人々は笑いながら、鼠使いの胸から提げた小箱の中に銭を投げこんだ。

ころあいを見計らって、鼠使いが箸《はし》を振ると、鼠はいかにも役者が見得《みえ》を切るように観客を見渡し、輪の中にひょいと飛びこんで走り始めた。

車の動きに合わせて、鼠使いは唄うように小話を語る。たかが二十日鼠にそれ以上の芸のできるはずはないのだが、緩急をつけてくるくると回る車に見入っていると、まるで鼠が物語をつむぎ出しているような気がしてくるのである。

わずかな一幕が終わると、人々は投げた銭の分だけはちゃんと納得して喝采を送った。

役者が籠の中に収まり、たちまち崩れた人垣のあとに、春児《チュンル》はあのいまわしい畢《ピイ》五《ウー》の廠子《チャンツ》で出会った女装の少年を見つけた。

「こんばんは、にいさん」

と、少年は愛らしい髷《まげ》をかしげて春児に微笑みかけた。

目のさめるような緑色の絹の上衣に、赤い布靴をはき、色白の顔に薄化粧をしたさまはどこから見ても美少女である。春児は少したじろいだ。

「挙人様は？」

と、あたりを見回してから、少年が耳元に唇を寄せて訊ねた。

「もう試験場へ入ったよ。おまえ、何やってるの」

衣に薫《た》きしめられた香の匂いから顔をそむけ、春児は兄貴ぶって訊いた。

「お弟子さんと買物に来たんだけど、一杯やってくるからここいらで待ってろって」

体は春児よりもまだ一回り小さいが、年相応のこまっしゃくれた口ぶりである。

まだ夢か現《うつつ》かよくわからない風景の中で少年と言葉をかわし、ともかくこれは現なのだと春児は悟った。それでも物語の中の美少女がふいに目の前に立ち現れたような、ふしぎな気分である。

顔をめぐらすたびに、少年の白い頰は店々の提灯を映して肌の色を変えた。

「にいさんは、お城に上がるんじゃないの？」

店先の石段にちょこんと屈みこんで、少年は訊ねた。とっさに昨晩の光景が甦って、春児《チュンル》は首を振った。

「おいらはちがうってば。そっちの親方とうちの少爺《シャオイエ》が友達だから、お伴をして行っただけだよ」

「でも帰りしなに、その気になったらおいでって、親方が言ってたじゃない」

まるで誘うような口ぶりである。

「その気になんかなるもんかい。おいら、宦官《ホアンクワン》なんて好きじゃねえ」

凄む感じで春児が足元に唾を吐くと、少年は膝を抱えて恥じるように微笑んだ。

「誰だって好きじゃないけどね」

少年の遠からぬ宿命を思って、春児は言い繕《つくろ》った。

「そりゃあ、人それぞれの勝手だからよ。ただ、おいらはそう思うだけだ」

少年は抗《あらが》うように呟く。

「天子《ティエンヅ》様やお后様のお伴をしてね、それで毎日、おさがりのおいしい物を食べられるの。もしかしたら、李蓮英《リイリエンイン》様みたいな大金持になれるかも知れない」

少年の言葉づかいは、美しい抑揚を持っていた。それは子供らの使う都言葉とはちがう。きっと宮仕えのために教えこまれた、格別の物言いなのだろう。

春児は落ち着かなくなった。

「李蓮英様ってのァ、宦官の親分だろう？」

「そう。大総管太監《ダアツォンクワンタイチエン》はね、宰相様よりも偉いの」

少年は自らの宿命を誇るように言った。

三年に一度の会試の季節を迎えて、都は科挙ひといろに沸き立っている。その異様な熱気の中で、少年は懸命にもうひとつの人生の正当さを主張しているようだった。

「そんなふうに言ったらおまえ、死にもの狂いで勉強してきた挙人様たちに申しわけねえよ」

「そうかなあ」、と少年は紅をさした唇を不満げに突き出した。

「きのう、見たでしょう。あたしらだって命がけなの。あんなに苦しい思いをして天子様にお仕えするんだから——」

「つまり、何十年もかかって苦労をするか、いっとき痛い思いをするか、そのちがいってわけだ。何だか卑怯な気もするけどな」

「にいさん、はっきり言うね」

少年は膝の上でほっと桃色の溜息をついた。

「食うか」

春児《チュンル》は口の中からさんざしの飴《あめ》をつまみ出した。うん、と少年は花のように笑い、頬を膨らませて春児の食べかけた飴をなめた。

「ひゃあ、甘い。舌がとろけちゃう」

鼠使いが再び銅羅《どら》を鳴らし、同じ口上を述べ始めた。

「さあおたちあい。この鼠はそんじょそこらの憎たらしい家鼠やどぶ鼠とは素姓がちがう……ごらんの通り器量もいいが、頭もいいぞ——」

造りもののように愛らしい二十日鼠は、主人の大きな掌の上で、観客たちに媚びを売るように爪をすり合わせていた。

春児は何となく、飴をなめながら鼠の芸に見入る少年の、葬られた過去を想像した。

どこかの遠い町から拐《かどわ》かされてきたのだろうか。それとも人買いに買われてきたのだろうか。いずれにしろわけのわからぬまま、あの畢五《ピイウー》の廠子《チャンツ》に連れてこられて、みてくれから言葉づかいに至るまで、美しい稚児《ちご》に仕立て上げられたにちがいない。

彼の誇らしげに語ったことも、畢五にそうと教えこまれたことなのだろう。そう——そこいらの家鼠やどぶ鼠とはちがう、「ごらんの通り」に作り上げられたのだ。

この少年はもう引き返すことのできない、後宮への道を歩み出しているのだと春児は思った。

「ひとつ、きいていいか」

「なに、にいさん」

「老仏爺《ラオフオイエ》は黄金の糞をたれるって、本当か」

少年は小さな顎を上げて、遥かな夜空を見上げた。

「わかんないけど……でも老仏爺様は観音の生まれ変わりだから、たぶんうんこなんかしないと思う」

「そんなことってあるかよ。じゃあ、食った物はどうなっちまうんだ」

「さあ……」、と少年は煌《きら》めく都のにぎわいに目をおろして、思いついたように言った。

「きっと、天をもおおう大御心《おおみこころ》になって、こんなふうにみんなを幸せにするの。老仏爺様のお慈悲は天地の続く限り、きわまることがないんだって」

ふいに鼠使いの声がしぼみ、群衆が広場から退いた。少年は立ち上がりかけて、あっと小さな叫びを上げ、春児《チュンル》の腕にしがみついた。

物々しい弁髪の兵士の一団が、菜市口《ツァイシコウ》の広場に現れた。遠巻きになった人々の輪の中に、後ろ手にくくられた罪人が引き出された。

歌声や喚声は一瞬どよめきに変わり、やがて広場はしんと静まった。

兵士が四方に向けて、高々とラッパを鳴らした。鞭を持った役人が進み出て、甲高く唄うように罪状を告げた。

「なんだって？　よく聴こえない」

「老仏爺《ラオフオイエ》様のお宝を盗み出して売り払ったんだって。ひどいやつ」

と、少年は爪先立って言った。

「いったい何をしようってんだ、こんなところで」

「決まってるでしょ。悪人はみんなここに引き出されて、首を斬られちゃうの」

二人は酒場の店先の石段に乗って、にわかに刑場となった菜市口の広場に目を凝らした。

弁髪を頭の上に巻き上げられた罪人は、すでに覚悟を決めたようにうなだれている。

店から出てきた酔いどれたちが、二人の背後で囁き合った。

「なんだ、老公《ラオコン》じゃねえか。だったら何もこんなところまで引っぱり出さなくたって、お城の中で始末すりゃいいのにな」

老公、と聞いて、少年はいっそう小さな背を伸ばした。それは宦官《ホアンクワン》に対する遠回しな蔑称である。

「まったくよ。アレを切っちまったうえに、今度は首を切られるってか。気の毒なこった」

ラッパがもういちど吹き鳴らされた。屈強な兵士が青龍刀を抜くと、罪人の衿首《えりくび》にくくりつけられていた木札が手早く抜き取られた。

罪状を読み上げた役人が、片手に陶器の壺をかざして、おもむろに周囲をひとめぐりした。

それはまちがいなく、畢五《ピイウー》の家の手術室で見た、「宝《パオ》」を収めた壺である。役人の表情はいかにも、こうすることがお上のお慈悲である、とでも言いたげだった。

壺を向けられた群衆はみな、一様に肯き返した。

「へっ、あれで来世じゃ雌の騾馬《らば》にはならねえがよ、今度は首のねえ亀に生まれ変わるかも知らねえな」

酔いどれの間《ま》の良い冗談に、人々は声を殺して笑った。つられて笑いかけて、春《チユン》児《ル》は口をつぐんだ。少年は自分が罵られたようにうなだれ、春児の足元に屈みこんでしまった。

役人は人々の輪にそってひとめぐりすると、罪人の目の前に壺を差し向けた。膝で立ったまま、罪人は身を慄《ふる》わせ、顔を歪めて泣き出した。女の悲鳴に似た、細く長い泣声が広場にこだました。

小便が汚れた褲子《クウツ》を黒々と濡らして流れ、乾いた地面に音をたてて滴り落ちた。人々は大いにあざけり笑った。

春児が笑えなかったのは、たちまち畢五《ピイウー》の家の光景が思い出されたからである。いま罪人の足元に噴き出た小便は、白蠟の棒によってこじあけられ、やがて肉になった穴からほとばしっているにちがいなかった。

罪人の両腕が押さえられ、月の光を受けてまっしろに輝く青龍刀が振りかざされると、春児もたまらずに目を伏せた。

まるで芝居の大団円のように、群衆は唸《うな》り、興奮し、喝采を送った。罪人の命乞いの叫びが、鈍い音とともにぷっつりと途切れた。

再び吹き鳴らされたラッパを合図に、あたりはもとの喧噪《けんそう》に戻った。

「おい。べつに泣くことねえじゃねえか。なにも太監《タイチエン》だから殺されたわけじゃねえんだ。泥棒なんかするからだよ」

少年を胸に抱き寄せると、絹の手ざわりや、髷に薫《た》きしめた伽羅《きやら》の香りが、春児を悲しくさせた。

なにも自分まで泣くいわれはないのだ、と思っても、奥歯を嚙みしめるほどにうなじが痛んだ。耳が鳴り、喧噪は二人を夜の底に残して遠ざかって行った。口の中がからからに渇いていた。

「飴、返せ。気分が悪くなっちまった」

春児は少年の顔を両手で抱き起こした。輝く前歯にさんざしの飴を嚙み、月あかりに照らされた少年の顔は、この世のものとは思えぬほど美しかった。

春児は首をかしげ、泣きくれる少年の唇から、口うつしに飴を奪った。一瞬ふれ合った唇のやわらかな感触は、春児の全身を痺《しび》れさせた。

やがて、顎の痛むほどの甘みが、こわばった体じゅうに広がった。

少年は瞼を拭って、春児の唇からのがれた。

「どうしたの、大丈夫、にいさん」

喧噪が耳に戻ってきた。

何ごともなかったように、二人は並んで立ち上がった。

「悪いことなんかしなきゃいいんだ。そうだよ、何も怖がることなんかねえんだ」

春児《チュンル》は少年を慰めるつもりで言った。

興の醒めた人々は菜市口《ツァイシコウ》の街衢《がいく》を去りかけていた。

元気づけるつもりで少年の手を握る。この夥《おびただ》しい人ごみの中で手を放してしまえば、少年はたちまちどこかに押し流されて、二度と再び会うことはないだろう、と思った。

春児は少年の人差指を握ったまま、人形のようなその姿を瞼に灼《や》きつけた。

「ありがとう、にいさん。とってもおいしかったよ」

振りほどこうとする少年の指を、春児はきつく握りしめた。父や大哥《ダアコオ》が死んだときも、こんなに切ない気持にはならなかった。

「あたし、もう行かなきゃ。ほら、お弟子さんが帰ってきた」

皮の股引の上にぞろりと綿入れの上衣を羽織った畢五《ピイウー》の弟子が、千鳥足でやってきた。やっと見つけたというふうに、赧《あか》ら顔の眉をひそめている。

「殴られるのか」

「ううん、ぶたないよ。あたしらに傷をつけたら大変だもの」

春児は目の高さの少年の髷から、胡蝶の髪飾りを奪った。

「これ、売ってくれ。気に入ったんだ」

「あげるよ。いくつも持ってるし」

少年は三日月の形に目を細めて笑い返し、春児の差し出した銭袋を、そっと押し返した。

艫綱《ともづな》の岸辺からほどけ落ちるように、少年の指が離れた。

「このやろう、表で待ってろって言ったろうが。うろうろしやがって」

弟子は振り上げかけた拳で少年のうなじを摑み、小さな体を揺すり立てた。

「ありゃ、どこかで見たやつだと思ったら、こいつはこの前の小僧じゃねえかい」

酒くさい息を吐きかける弟子を、春児は睨み上げた。

「乱暴はやめてよ、おじさん。まだ小さいんだから」

「ふん。チビはおめえだろう。さ、ぼさっとしてねえで帰るぞ」

少年は引きずられるように去って行った。広場の彼方まで振り返り、また振り返り、遠ざかるほどに赤い布靴の色だけが、闇の底に消え残る燠《おき》のように見え隠れした。

春児《チュンル》は袍《パオ》の長い袖の中に胡蝶の髪飾りを握りしめたまま、長いこと人ごみに立ちつくしていた。

七

貢院の夜は更《ふ》ける。

号舎に持ちこんだ蒲団《ふとん》にくるまって、文秀《ウェンシウ》はまんじりともせずに帳《とばり》のすきまから覗く満月を見つめていた。

すでに夜も更け、第一場の試験開始は刻々と迫っている。明日は夜を徹して三問の四書題と一篇の詩賦《しふ》に挑まねばならない。少しでも眠っておかねばと思うにつけ、文秀の目はいよいよ冴えた。

巨大な貢院は静まり返っているが、号筒《ハオトン》の突き当りにある厠《かわや》に往復する足音は絶えない。昼間は泰然と構えていた挙人たちの誰もが、内心は同じ思いなのだろう。

瓦が風に鳴り、埃《ほこり》が顔に降り落ちた。思いついて荷籠の中から布を取り出し、低い天井に張る。万が一にも答案を埃や滴《しずく》で汚すことがあったら、落第どころか数回の受験停止を申し渡される決まりである。

再び窮屈な姿勢で板の上に横たわる。受験生のために用意された最も快適な季節にはちがいないが、花冷えの夜更は寒い。

文秀《ウェンシウ》はまた起き上がって、足元に置いた火鉢の炭を掻いた。しばらく手足を焙《あぶ》る。

号舎の屋根に昇った銀色の月を見上げながら、文秀は今さらのように、自分もとうとう順天会試に臨むのだと思った。

この本試験に合格しさえすれば、あとは順位を決定する殿試が皇帝臨御《りんぎょ》のもとに行われるきりだ。つまり、子供のころから念仏のように聞かされてきた「進士登第」については、この会試の合否で決まる。

怖気《おじけ》が背筋をはい上る。入場したとたんに気がふれて、素裸のまま担ぎ出された男は、自分より少しばかり早くそのことを自覚しただけなのだ、と思った。

文秀もまたすべての挙人たちと同じように、自分がここまで来た人生の経緯を思い返さねばならなかった。

三つちがいの兄は幼いころから才子の評判が高かった。父も母も家庭教師たちも、兄には大きな期待をかけていた。ともに机を並べて学問をしながら、文秀がさほど「進士登第」に使命感を覚えなかったのは、自分が兄の宿願を達成させるための当て馬にすぎぬことを知っていたからである。

何人もの家庭教師たちは、おそらくかねてからの申し合せに従って、ことあるごとに弟の非を譏《そし》り、ときには鞭をふるって打ち、兄に自信と自尊心とを植えつけたのであった。

文秀がいつも粗末な衣服を着せられ、筆や紙や硯《すずり》までも兄のそれとはちがう安物を与えられていたことも、たぶん周到に準備された台本のうちであったのだろう。県城から数十里も離れた梁家屯《リアンジアトン》の村で、城下の子弟らと同じ教育環境を求めるには、それはどうしても必要なことにちがいなかった。

だから兄は箸《はし》の上げ下げから言葉づかいに至るまでこと細かに教育されたが、文秀は何ひとつ咎《とが》められたためしがなかった。才子に対する凡庸な子供の標本として、故意にそう育てられたのだと思う。すべては兄の文源《ウェンユアン》を進士に登第させるためであった。

梁家の兄弟はこうした形で、士大夫《したいふ》への道を歩み始めた。兄は難なく最初の関門、童試に合格し、続く県試と府試、それらに伴う資格試験のすべてを、優秀な成績で勝ち抜いて行った。そして三年おくれで、弟の文秀もかろうじて合格して行った。

ところが、続く院試で予期せぬ事態が起こった。合格すれば天津府学の生員として藍衣と雀頂《じゃくちょう》の冠を授けられ、直隷郷試《ズーリーきょうし》に赴く権利を与えられるこの難関で、兄が落ちたのである。

周囲の愕《おどろ》きと嘆きは大変なものであった。母は三日三晩を泣き続け、父はまる五日も書斎から姿を現さなかった。

兄の不運はなおも続いた。府の教育長たる学政の交替が相次ぎ、翌年も、その翌年も院試は行われなかったのである。しかも臨時学政の指揮により、以下の県試や府試は例年通り続けられたものだから、三年目にようやく行われる運びとなった院試は常時の三倍の受験者を数えることになった。そして、その追いついてきた少年たちの中に、弟の文秀《ウェンシウ》もいたのである。

もちろん兄の文源《ウェンユアン》は長い浪人生活の間にも、格別の教育を施された。三人の家庭教師の他に専属の方術師までが雇われた。

計らずも兄と一緒に院試を受験することになった文秀は、内心もうここいらで良かろう、と考えていた。兄はいずれ京師《けいし》に上って高級官僚となり、自分は梁家屯《リアンジアトン》にとどまってのんびりと家業を継ぐ。実のところ彼自身も周囲の思惑通りに、そう考えていたのだった。

今度こそ兄の合格を疑う者はいなかった。そして「弟はもうここいらで良いだろう」と、誰もが考えていた。

院試の合格は、捷報《しょうほう》という劇的な方法で伝えられる。

その日、兄は一族に囲まれて、当然きたるべき捷報を今か今かと待ち焦がれていた。文秀はさすがに多くの人前で当て馬たる自分が明らかになることを潔しとはせず、例によって村はずれの運河に釣糸を垂れていた。

午後になって、目の下三尺もあろうかという巨鯉《きより》を釣り上げた。一瞬、吉兆という文句が文秀の頭をかすめたが、そのようなことはあるはずもないと、彼は獲物を担いで居酒屋に行き、馬喰《ばくろう》たちに大盤ぶるまいをした。

しかし、である。あろうことかその時刻、天津府城の早馬は二通の捷報を携えて、梁《リァン》家の門に駆けこんでいたのであった。

「梁家の御一同、お出まし召されよ！　捷報でござるぞ！」

赤い頭巾を冠《かぶ》った使者は銅羅《どら》を叩きながら馬上でそう叫んだ。家族がやんやと迎えに出るそばから、二報、三報の早馬が駆けてきた。

使者たちは大枚の祝儀にありつき、宴をともにする慣例である。第一報の使者が差し出した二通の捷報に、居並ぶ人々は喜ぶよりむしろ驚愕した。梁大爺《リァンダァイエ》はすかさず二報、三報も改めたが、使者たちが賛辞をつらねて差し出したものは、やはり紛れもない二通の捷報であった。

大爺《ダァイェ》は目先の利く老家令をこっそり呼びよせ、意を含めて「史了《シーリァオ》を探してこい」、と命じた。

居酒屋の店先にひょっこり現れた家令の、そのときの青ざめた表情を文秀《ウェンシウ》は忘れない。彼はまるで奇蹟が起きたように呆然と、大きな紅紙に花紋様をちらした合格捷報を指先にぶら下げて、突っ立っていたのである。

捷報にはこう記してあった。

捷報　本学報じ畢《おわ》んぬ。続けて中《あた》り将来は三元ともなられんことを。

御当家令息　梁《リァン》文秀《ウエンシウ》少爺《シャオイエ》は

皇帝陛下の命により親任されたる直隷省《ズーリー》静海《チンハイ》県知事、陳氏《チエン》によって本県学への入学を許可されたり。

「史了様、あんたも合格だそうで……」

家令がそう呟くと、文秀を取り囲んでお得意の猥談に耳を傾けていた馬喰たちは、どっと沸いた。

当の文秀にとってもそれは全く寝耳に水であったのだが、嬉しいやら照れ臭いやらで、とりあえず家令も加えてどぶろくの祝盃を上げたのだった。

すっかり酔いつぶれ、馬喰どもに担がれて家に帰った文秀を、父や縁者たちはたいそう困った顔で見つめたものであった。

玄関の敷石を枕にしてぶっ倒れた文秀の頭に、父は手桶の水をざぶりとかけてこう言った。

「このばか者が調子に乗りおって。よいか史了、おまえは兄とともに及第したのではないぞ。兄の福禄にあずかって、この結果を得たのじゃ。もうこれで良いから、おまえは算盤《そろばん》でも習って家業を継げ！」

梁文秀を奮起させたものは、父のそのときの一声である。やおらむっくりと起き上がって、文秀は周囲を見渡し、こう言った。

「私は郷試を受験しますよ、おとうさん。いや、順天会試も受けるし、殿試も受けます。そしてきっと進士に登第します――だって、天がそう決めたんですから」

一同は再び驚愕した。

父の梁大爺《リァンダアイェ》がその後、文秀に何とか郷試の受験を思いとどまらせようとした理由ははっきりとしていた。父はこの次男坊の強運を怖れたのである。弟が運気に乗じてさらに科挙を目ざせば、結果はともかくも必ずやどこかで途方もない事件を起こし、兄の立身の妨げとなるであろう、と危ぶんだのであった。

それから一年の間、文秀《ウェンシウ》は家の誰とも口をきかず、家庭教師とも会わずに書斎にとじこもった。そして学問に疲れれば、相も変わらず運河に釣糸を垂れ、土手の柳の下で身の丈ほどもある長煙管《ながぎせる》を喫い、馬喰どもを相手に居酒屋で大騒ぎをした。

そして昨年の八月、郷試合格者の名をつらねた龍虎榜《りゅうこぼう》の上に、兄の名はなかった。

静海《チンハイ》の少爺《シャオイエ》こと梁《リアン》文秀《ウエンシウ》はこうして晴れの順天会試に挑む挙人の学位を得た。世間の思惑をことごとくくつがえして、上は天上の星に応ずるといわれた挙人様が、ここに出現したのである。

それにしても――と、火鉢に凍《こご》えた爪先をかざしながら、文秀は考えた。

どうとも気にかかるのは、幼いころ星読みの白太太《パイタイタイ》が予言した自分の未来である。

（――汝《なんじ》は長じて殿に昇り、天子様《ティエンツ》のかたわらにあって天下の政《まつりごと》を司ることになろう。学問を琢《みが》き知を博《ひろ》め、もって帝を扶翼《ふよく》し奉る重き宿命を負うておる。よいか文秀。困難な一生じゃぞ。心して仕え、矜《ほこ》り高く生きよ——）

月が雲に翳《かげ》ると、狭い号舎は壺の中のような闇に返った。文秀は夜具にくるまって目を閉じた。

皇帝の親政を扶《たす》ける立場といえば、宰相にあたる内閣大学士か軍機大臣のことであろう。何十年かの後そうなるためには、この会試を突破し、続く殿試で最優秀の成績をおさめ、とりあえずは出世の本道たる翰林院《ハンリンユアン》に出仕しなければならない。あたりまえの成績で及第して地方の知事に封ぜられても、白太太の予言した未来はまず有りえぬのである。

しかし、この期に及んでは優秀な成績どころか及第すらも、まこと天上の星を摑むような気がする。なにしろこの貢院の闇の中には、七十年も科挙に応じ続けてきた老学究や、童試から郷試に至るまで向かうところ敵なく勝ち進んできた経魁《けいかい》が眠っているのである。

壁ごしに老人の咳きこむ声が聞こえた。

若い自分の体にもひしひしと応える花冷えの夜更である。大門から号舎までの道のりですらようやくよろぼい来た老人は、もしや身の回りの品を何も持っていないのではないか、と文秀は思った。

帳《とばり》を開けて隣室を覗く。果たして老人は、火の気も夜具もない号舎の壁に背をもたせて、ちんまりと膝を抱えていた。鶴のごとき痩軀《そうく》は小刻みに慄《ふる》えている。

老人は文秀《ウェンシウ》を認めると、申しわけなさそうに頭を下げ、袖の中で咳《せき》を殺した。

文秀は自分の号舎から火鉢を持ち出して老人の足元に据え、夜具を丸い背中に掛けた。寒さがよほど身にしみていたのか、老人は慄えながらも、甘んじて隣人の好意を受けた。

湯をわかし、鉛の急須に苦丁茶《クウテイン》をひとつまみ入れて老人に勧める。

「さあ、これで元気を出して下さい、先輩。『龍頭《りゅうず》は老成に属す』ということわざもあります。先輩のあなたが頑張ってくれなくちゃ」

老人は皺だらけの顔を湯気に晒《さら》しながらいくども肯き、すっかりくたびれた藍衣の袖で瞼を拭った。

「――わしは、もう七十年、応試を続けておる」

「ええ、そうですってね先輩。がんばって恩典にあずかって下さい」

と、老人の繰り言にいささか食傷しながら、文秀は答えた。

「だがのう。失われた七十年を省みて、今ほど感極まったことはない。初めて杭州の郷試に及第したときも、これほど嬉しくはなかった」

「さあ――どういうことでしょうか」

「受験生はみな鬼じゃ。人の情も忘れ、鬼になって勉学をせねば進士登第など覚束《おぼつか》ぬ。そしてその鬼どもがいずれ国を動かす。この国が諸外国に蹂躙《じゅうりん》され、民が塗炭の苦しみにあえいでおるのは、実はみな、鬼どもが天命を担っておるそのたたりなのじゃ。おぬし――」

　老人は涙に濡れた顔を文秀の鼻先に近付けて、唸るように、力強く言った。

「おぬし、必ず進士となられよ」

　文秀はとまどった。

「ありがとうございます。実はすっかり自信が揺らいでしまって……」

　気弱な表情を睨み返して、老人は叱るように呟いた。「莫灰心《モーフィシン》!」――落胆しなさるな、と。

「いいや、おぬしは必ずそうなる。挙人は天上の星に応じ、進士は日月をも動かすという。宇宙の万象をも支配する人間が、何で鬼であろうか。士君子たるもの、すべからく民の痛みを解し、老いたる者に一碗の茶を分かち与えねばならぬのじゃ。すなわち、おぬしこそ士君子、天命をしろしめす中華の進士にふさわしい。何も怖れることはないぞ、莫灰心《モーフィシン》! 梁少爺《リァンシャオイエ》」

文秀《ウエンシウ》は微笑を返して、老人を板敷の寝台に抱き上げた。

「ありがとう、先輩。何だか力が出たようです。おやすみなさい」

その夜、文秀は老人の咳《しわぶ》きを聞きながら寒さに耐え、結局一睡もせずに頭場《とうじょう》の朝を迎えねばならなかった。


光緒十二年陰暦三月九日、順天会試の朝はついに明けた。

黎明《れいめい》を割って号砲が轟《とどろ》くと、挙人たちは蟻のように号舎からはい出し、場内の至高堂で答案用紙と問題を受け取る。

ぎっしりと軒をつらねた号筒《ハオトン》を抜けて、龍門から延びる大道を涯《はて》まで歩きつめ、答案用紙を受領して戻って来るには、それだけで陽が昇りきるほどの時間を要した。

闘志をみなぎらせた挙人たちの走り回る道を、文秀は老生を助けかばいながら往復した。

号舎に戻ると、まず帳《とばり》をはずして日を入れ、ゆっくりと墨をする。制限時間は明日の夕刻まで、たっぷりとあった。

胸の高まりを静めようと、文秀は観音経を唱えた。

やがて各号舎を担当の試験官が巡回し、帳を開いて受験生の顔を確かめてから、答案用紙に「対」という印を捺した。

巨大な問題用紙に目を通す。第一日目の出題は四書から三問、一題につき七百字以内の解答を作成する。そして主題と音韻を指定した詩作が一篇である。

答案用紙は下書用の白紙が七面、清書用の朱罫紙が十四面、いずれも一冊に綴じられており、清書用のそれの表紙には華麗な龍の絵が描かれ、「会試墨巻・欽命四書経義題」と記されている。

一見して豪華な装丁をなされた書物の趣きである。「欽命」と付されているのは、文字通りこの四書題だけが、皇帝自身の出題にかかるからである。したがってこれは、全問中もっとも配点に重きを置かれる。

貢院は静まり返った。夥《おびただ》しい号舎の屋根を渡る風ばかりが、ひょうひょうと音を立てた。

午後になると、挙人たちは少しずつ身動きをし始めた。食事を摂《と》る者、厠《かわや》へ通う者、湯をわかして茶を淹《い》れる者。

文秀も号舎から出て腰を伸ばし、首を回した。黄砂は低い雲のように垂れこめており、貢院の中央に聳《そび》える明遠楼《ミンユアンロウ》は遥かに霞《かす》んでいる。索莫とした、色のない景色であった。

隣室を覗きこむと、老人は机にかじりついて筆を進めていた。相変わらず背を丸めて乾いた咳をし、そのたびに答案用紙から顔をそむける。

「先輩、お食事は？」

しばらく黙々と筆を動かしてから、区切りの良いところで老人は顔を上げた。

「もしよろしかったら、ご一緒しませんか。余分にありますから」

「いらんよ」

と、老人は突慳貪《つっけんどん》に言った。

「飯を食う間などない。そう腹の減る齢でもないわい」

「でも、お体に障りますよ。先はまだ長いんですから」

文秀《ウェンシウ》は荷籠の中から焼餅といり豆を持ち出すと、老人の号舎に入って机の端に置いた。

老人は気配に気付くと、とっさに袖で答案を隠した。

「いや、これは失礼しました。べつにそういうつもりはありませんよ」

老人は怪訝《けげん》な目で文秀を睨み上げている。昨晩の温和な表情など嘘のような、まるで餌を手の内にかばう獣の目だ。

「もうかまわんでくれ。試験は始まったのじゃぞ」

挙人たちを鬼だと罵《ののし》った老生は、自らも老いた一頭の鬼になっていた。文秀は憤《いきどお》るよりもむしろ悲しい気持になった。

号筒《ハオトン》に出て、王逸《ワンイー》を帳の外から呼ぶ。

「嘉六《ジアロウ》、どうだね、はかどってるか？」

こちらは何の返事もなかった。無視しているわけではなく、何も聴こえず何も見えぬほど答案に没頭しているのだろう。

自分の号舎に戻ると、文秀は独習に際してはいつもそうするように、弁髪を額に巻き上げて机に向かった。

答案作成に用いる文章は、唐宋以来すこしも変わらぬ、複雑で技巧的な八股文《はっこぶん》である。このようなものが政治に役立つとはとうてい思えないが、古典籍に習熟していなければこれを自在にあやつることができないのもまた確かである。

字体にしても、能書家の手本とはほど遠い、四角ばった無味な楷書体を用いねばならない。例えば仮に、王羲之や顔真卿などの名蹟が科挙の答案を書けば、その字面だけで落第してしまうことになる。

四書題の草案を練る。職人のように文章を考え、機械のようにそれを筆写していく。すると自分も次第に、感情のない一頭の鬼に変わっていくような気になる。

黄塵《こうじん》の中にどんよりと陽が傾きかける時刻になると、空気は咽《のど》を刺すほどに乾いた。

軍夫が号筒《ハオトン》を往き来して手桶の水を撒《ま》き続けるのだが、埃《ほこり》は号舎の中にまで容赦《ようしゃ》なく吹きこんできた。

それとともに壁ごしの老生の咳が激しくなった。せめて茶を淹れてやろうと、何度も腰を上げかけたが、咳きこみながらも答案に没入している老人が喜ぶはずはなかった。

そうこうするうちに、老人の様子はいよいよ尋常でなくなった。息づかいが乱れ、苦しげな呻《うめ》き声さえ聴こえてきた。時おりたまりかねて、王逸《ワンイー》の怒鳴る声がする。壁が蹴られる。すると一瞬、老人は呻吟《しんぎん》を押し殺すのだが、すぐにまた苦しげな息をし始める。

文秀《ウェンシウ》の答案は遅々として進まなかった。下書きを中途で何度も読み返しては消す。墨跡のくろぐろと嵩《かさ》んでいくほどに、気ばかりが焦った。

昨夜はまんじりともしていないことでもある。これで睡気でもさしてくれれば、すべては終りだと思うと、いよいよ文章のまとまりはつかなくなった。

日が落ち、灯りを入れるころになって文秀はなんとか一問の草案だけを書き上げた。それとて満身創痍《まんしんそうい》の体《てい》である。

昨年の郷試の時は、すでにひと通りの下書きをおえ、清書にかかっていた時刻であった。

風が凪《な》ぎ、柴の篝《かがり》が号筒に焚かれる。しかし老人の咳はいっこうにおさまらず、文秀の思考を阻み続けた。

ふいに、悲鳴に近い声が聴こえたと思うと、老人の吐きもどす気配が伝わった。

文秀はあわてて隣の号舎に駆けこんだ。蠟燭《ろうそく》の灯影の下で、老人は机にうつ伏していた。だらりと下げられた右手には筆が握られたまま、穂先から墨が滴っていた。目を凝らすと、床を真黒に染めているものは、墨ではない。

文秀は老人を抱き起こした。藍衣の胸に鮮血が流れていた。

人を呼ぼうとする文秀の腕を、老人は慄える手で引き戻した。息は今にも途絶えそうに、細く、早かった。

力なく瞼を上げて、老人は呟いた。

「……このままでよい。ほっておけ」

机から顔をそむけて、老人は文秀の胸に血を吐いた。かろうじて息を吸いもどし、微《かす》かな声で言う。

「おぬし、答案はできたかな」

「いえ、まだ——」

「わしのせいか」

「べつに、そういうわけじゃありません。少しあがってしまって」

胸のわだかまりを吐ききってしまったように、老人は安らかな顔に変わっていた。

「答案を、血で汚してしもうた。受験停止三度の決まりじゃな……向こう九年、か……もう、いかんな」

「しっかりして下さい先輩。医者に見せなければ」

「貢院に医者などおらんよ。この場に及んで病を得るのは、日ごろの悪業のたたりとされておるからな……ああ、これで死ねば、わしは進士どころか挙人の学位も剝奪される」

文秀《ウェンシウ》の腕を握りしめながら、老人はいっそう声を細めて続けた。

「おぬしに頼みがある。この老生の、最期《さいご》の希《ねが》いを聞いてくれるか」

「なんなりと——」

老人は微笑を泛《う》かべ、握ったままの筆の先で机上の答案を示した。

「下書きはおえた。四書題も詩賦も、われながら畢生《ひっせい》の出来ばえじゃ。もはやゆるがせにする一字一句もない。そこで――頼みなのじゃが」

と、老人は血に染まった草書綴を引き寄せて、文秀の胸に托した。

「ぜひこれを、おぬしの答案として提出して欲しい。誤解するな、おぬしの恩情に報いるためではないぞ。わしの答案を、第に登《のぼ》せて欲しいのじゃ」

「そんな――他人の答案なぞ」

「読めばわかる。この先おぬしが七十年浪人しても、まず物にはできぬ名文じゃ。自信はあるぞ」

「そうじゃありません。人の答案で進士になるなぞ、とんでもないことです」

老人の表情がひきつった。血まなこをくわっと剝き、歯の欠けた空洞の口に血泡を吹いて、老人は叫んだ。

「ひとでなし！　それでもおぬしは孔子様の弟子か。わしは進士になりたい。苦節七十年、ついに進士登第じゃ、翰林院《ハンリンユアン》編修の英才じゃ。わしは進士になるのじゃ！進士に……」

息を吐きつくして、老人はぐいと体を反らした。そのまま丸い背骨をぼきぼきと鳴らしたと思う間に、四肢をつっぱって老人は動かなくなった。

「ああ――」

と、文秀《ウェンシウ》は急に重みを増した老人の体を抱いたまま、声にならぬ息をついた。

いったい何としたことであろう。老挙人は死んでしまった。

文秀は老人の体を、もとどおり机にうつ伏せようとした。しかし愕《おどろ》いたことに、死体はしっかりと机上に肘を張り、首をもたげて座ったのである。

文秀は鼻先に手をかざし、背に耳を当ててもういちど老人の死を確かめた。

老人は死してなお生けるがごとく、虚《うつ》ろな目を瞠《みひら》いて墨巻を見つめ、痩せた指にしっかりと筆を握りしめているのであった。

足音を忍ばせて外に出る。篝火《かがりび》が闇にはぜていた。

「どうした。じいさん、静かになったな」

隣から王逸《ワンイー》が顔を出した。文秀はとっさに、託された老人の答案を背に隠した。

「茶を飲ませたら落ち着いたよ。ひと眠りするそうだ」

「おぬしも変わった奴だな。自分の答案はどうなってるんだ。できたのか」

老人の号舎の帳を背でかばいながら、文秀は嘘をついた。

「だいたいな。君は？」

「俺もう下書きはおえた。これからしばらく寝て、夜が明けてから清書をする」

「そうだな、それがいい。蠟燭でも倒して答案を汚したら、元も子もないさ。俺もそうするか——じゃ、おやすみ」

「ああ、おやすみ」

王逸は怪しむふうもなく帳の中に消えた。

ほっと息を抜いて自室に戻ると、文秀は燭台を引き寄せて老人の草案を読んだ。

血にまみれてはいるが、墨蹟は瞭《あきら》かだった。

もちろん文秀に、老人の遺言を聞き入れるつもりはなかった。いかに必死の作とはいえ、七十年来の落第生の答案である。ただ、いずれ穢《けが》れとされて忌み嫌われ、焼き捨てられてしまうだろうその答案を、せめて自分ひとりでも目を通してやろうと考えただけであった。

ところが——冒頭の数行を読んで、文秀は息を詰めた。堂々たる八股文《はっこぶん》である。読み進むうちに、それが疑いようもない、天衣無縫の大文章であると、文秀は確信した。

語調は流麗にして端正、内容も篤《あつ》い。敬避といわれる禁字の処理も、作法どおりに完全である。しかも衒《てら》わぬほどに自ずと、古典籍に関する深い教養がにじみ出ている。

詩賦は指定の韻を正確に踏み、春宵の風雅を謳《うた》った秀作であった。

いくども読み返しながら、文秀《ウェンシウ》は長いこと思い悩んだ。

換巻《かんかん》――すなわち答案のやりとりは重大な不正行為である。しかしこのまま自分の答案として清書し、血の染《そ》んだ下書きは何ごともなく老人の机上に戻しておけば、決して露見することはあるまい――。

文秀はかたわらに置かれた自分の草稿を眺めた。推敲《すいこう》に汚れ果ててもなお、満足に形を成さぬ答案であった。いずれにしろこのままでは落第する。そしてその第一の原因は、自分の心をかきみだし続けた、老人の咳なのだ。

これは自分の善行に対する天の報いにちがいない、と文秀は思った。

灯芯を切って新たに明るい炎を焚き、梁《リアン》 文秀《ウェンシウ》はもう迷うことなく、清書墨巻の朱野《しゅけい》を開いた。


――いつの間に眠ってしまったのだろう。

文秀は机にもたれたまま、すばらしい夢を見ていた。

それは殿試の発表式――大伝臚《だいでんろ》の光景である。

宮中太和殿の階《きざはし》の下に、自分は三枝九葉《さんしくよう》の金冠を頂いた多くの進士たちとともに整列している。

朝服に威儀を正した文武の百官が周囲を取り巻き、堂上にはきら星のごとく大官が居並んでいる。

青天に翻る正鑲八旗《せいじょうはつき》のもと、甲冑《かっちゅう》に身を鎧《よろ》った満漢蒙古の禁軍が矛《ほこ》をつらねている。

やがて楽奏とともに、黄龍旗を押したてて皇帝の鹵簿《ろぼ》が到着した。きらびやかな龍袍《ロンパオ》をまとった若き光緒帝が玉座につくと、礼部官が「有旨《ヨウチィ》！」と号令を下す。新進士は皇帝の前に進み出て、身を地面に投げ出し、三跪九叩頭《さんききゅうこうとう》の最敬礼をする。

大臣が詔書を読み上げ、続いて金榜《きんぼう》に記された合格者順位を発表する。

「唱名！　――第一甲第一名、状元《じょうげん》。直隷《ズーリー》省静海《チンハイ》県貢士、梁文秀！」

はっ、と答えたとたんに、目が覚めた。

机の上に身を起こしてからもなおしばらくの間、文秀は夢の余韻にひたっていた。

彼をようやく現実に引き戻したものは、号筒《ハオトン》をせわしなく行き来する試験官の声である。

「快《クアイ》、交《チャオ》、巻《グワン》！　快《クアイ》、交《チャオ》、巻《グワン》！」

早く答案を提出せよと、あちこちの号筒《ハオトン》から同じ声が響いた。日はすでに西空に傾きかけている。

文秀《ウエンシウ》は青ざめた。あろうことか睡魔にとり憑《つ》かれ、前後不覚に寝入ってしまったのである。すでに答案提出の刻限であった。

「不可《プウクウ》……」

文秀は思わずひとりごちて顔を被《おお》った。

未完の答案に対しても、三回の受験停止という厳しい罰則が与えられるのだ。

とっさに、せめて老人の草案だけでも元の場所に戻しておかねばならぬ、と思った。他人の答案を失敬した上に、なおかつ白紙の提出とあっては、試験停止どころかどんな罰を下されるかわかったものではない。

しかし、どうしたことだろう。机上にも号舎内のどこにも、きのう確かに託されたはずの草案は見当たらなかった。

すべてが夢であったのだと思うと、文秀はほっとすると同時に、もう立ち上がることもできぬほど落胆した。きっと自分は疲労と緊張のあまり、頭がどうかなっていたのだろう。

おそるおそる墨巻を開く。と、とたんに文秀は表紙を閉じ、天を仰いだ。どうやら自分は本当に狂ってしまったらしい。いましかに見たものは、びっしりと朱罫をうずめつくした、四書題の墨巻である。

「快交巻《クアイチャオグワン》！　おい、早くせんか！」

試験官が帳《とばり》を開けて叱った。

「は、はい。いま出ます。もうじき」

文秀は袖で脂じみた顔を拭い、もういちど気を取り直して墨巻を開いた。

書きおえている。そしてそれは、もし夢でないとするならば、老生に託された草案の、一字一句たがわぬ筆写である。

隣の号舎で試験官が叫んだ。

「快交巻！　早くせんか――おい、どうした。しっかりしろ！」

人を呼ぶ声がし、兵卒が走ってきた。

王逸《ワンイー》が私物の荷籠を抱えて帳を開いた。

「おい、史了《シーリアオ》。何てこった、隣りのじいさん死んじまったぞ」

今さら愕くことではないが、文秀は墨巻を胸に抱いて立ち上がった。

「死んだ？」

「ひどい血を吐いてる。どうも急に静かになったとは思ったんだが。おぬし、ゆうべ茶を淹れてやったよな」

「え？　——あ、ああ。あの時はべつに何ともなかったんだが……」

文秀《ウェンシウ》は藍衣を調べた。ゆうべ老人から浴びせかけられたはずの血の跡は、どこにもない。

帳を押して外に出ると、兵士たちが老人の亡骸《なきがら》を運び出すところだった。死体は硬直したまま、それでも右手にはしっかりと筆を握っていた。

椅子に座ったなりの格好で両手足を抱えられ、老人は号筒《ハオトン》の奥に消えて行った。

試験官がわずかな所持品を持って出てきた。その手に血まみれの答案が提げられているのを、文秀は見た。

「それは？」

と、思わず口がすべって、文秀はひやりとした。

しかし試験官はいかにもうんざりとした表情で、答案を日に透かし見るのである。

「一字も書いてはおらん。気の毒に、まるで死にに来たようなものだ」

「一字も？　——下書きもですか」

「ああ。いったい諸君らも、何をすき好んでそうも進士にこだわるのかね。まったくご苦労なことだ。ほれ、見てみろ」

　おそらく生員か挙人のまま下級官吏に甘んじているにちがいない試験官は、そう言ってこれ見よがしに答案を示した。そこにはたしかに、一字の筆跡もなく、ただ乾ききらぬ血糊が沫《しぶ》いているきりである。

「諸君らもまあ、あまり無理はせんことだな。——老い来《きた》ってまさに得る一青衫《せいさん》か。こんなに老いぼれてから官位など貰っても、しかたあるまいに」

　試験官は卑屈な目つきで文秀と王逸《ワンイー》を睨みつけて去って行った。

「気にするな、史了《シーリアオ》。これでおたがい、明日の第二場《じょう》はじっくりと試験が受けられるじゃないか」

　文秀は呆《ほう》けたように立ちすくんでいた。

「おい、どうした。しっかりしろよ、まだ先は長いんだぞ」

　王逸に肩を叩かれて、文秀はようやく我に帰った。

「あ……ああ、そうだな。早く提出して宿に帰ろう。少し寝なくちゃ」

　荷物をまとめる文秀の机上を、王逸はふしぎそうに見渡した。

「あれ。おぬし、下書きはどうしたの。白紙じゃないか」

「下書きは……そう、下書きはしなかったんだ。そんなに難しい問題じゃなかったし、面倒だからじかに清書した」

下書きは清書墨巻とともに提出する決まりである。だが、昨夜たしかに書いた満《まん》身創痍《しんそうい》のそれは、まっしろな紙に変わっていた。王逸《ワンイー》は目を瞠《みは》っている。

「ほんとか。そりゃすごいな。信じられん、なんてやつだ」

「なに、たまたまヤマが当たっただけさ。さあ、行こう」

二人はそれぞれの墨巻を懐《ふところ》にしまうと、至高堂に向かった。

八

　我が子が貢院にこもっている三日二晩の間、郷土会館の宿舎で待機していた梁大《リアンダア》爺《イエ》はひどく憂鬱であった。飯もろくに咽《のど》を通らず、夜も満足には眠れず、頭場《とうじょう》の終了する三日目には、太った体が一貫目も痩せたようであった。

　試験のなりゆきを心配してのことではない。近在の各会館に宿泊している顔見知りの父兄たちと言葉をかわすたびに、自分の倅《せがれ》はまず合格する見込みがないと、思い知らされたのである。

　どの親も誇らしげであり、結果には自信を持っていた。胡同《フートン》の並びは河間府《ホーチエン》の会館で、そこに泊っている王《ワン》家の一族などは、早くも殿試の席次を噂し合っている。聞けば直隷《ズーリー》郷試の第四等、経魁《けいかい》の才子だという。

　お宅の息子さんは何等で、と訊ねられても、まさか九十六等とは答えられず、ほうほうのていで宿に戻った。

　そのうえ胡同のあちこちに屯《たむ》ろする従者たちの噂話がいやでも耳に入る。

　――静海《チンハイ》の少爺《シャオイエ》が応挙しているそうだぜ。

——えっ、あの飲んだくれの？

——梁家屯《リアンジアトン》から騾車《らしゃ》をつらねてやって来たんだとよ。

——ど田舎の地主が考えそうなこった。まあ、あの少爺《シャオイエ》が進士になるってのなら、俺んちの鼻たれだって挙人様ぐれえにはなれる。

——まったくご苦労なこったぜ。

咳払いをして通り過ぎれば、ひそみ笑いはどこまでも大爺《ダアイエ》を追ってくるような気がした。

しかも宿舎には昼夜わかたず、静海《チンハイ》出身の役人たちが挨拶にやってくる。わが子の悪名は彼らの間にも轟いているはずなのだが、いちおう礼儀として陣中見舞に訪れるのである。

これがまた大爺にはひどく辛い。もはや知れ切った落第を、いずれ彼らに報告して回らねばならないのかと思うと、身のほども知らず熱にうかされるように都に上ってきたおのれの浅慮がうとましかった。

げっそりと痩せて三日目の夜が明けたころには、早くすべてが終らぬものかと、大爺はそればかりを考えるようになっていた。

頭場を終えた文秀《ウェンシウ》が、三日二晩ぶりに順治門外の会館に戻ったのは日が昏《く》れてからである。

幽鬼のように青ざめ、のみならず魂を失ったように口をぼんやりとあけて宿に戻ったなり、文秀は黙って自室に引きこもってしまった。

その顔色ひとつにしても、惨憺《さんたん》たる結果にはちがいなかった。万が一の奇蹟もあり得なかったと知って、梁大爺《リァンダアイエ》は扉の外から猫なで声で言った。

「史了《シーリァオ》。答案はちゃんと書きおおせたのだろうね。のちのち私の困るようなことは、何もしなかったろうね」

答えはない。かわりに懊悩《おうのう》する呻《うめ》き声が聴こえ、床が踏み鳴らされ、壁をむやみに叩く音がした。

「ともかく、最後までやり抜くんだよ。短慮はいけない。まだ若いんだから、やり直しはいくどでもきくんだからね」

寝台に倒れこむ気配がし、じきに常にない高鼾《たかいびき》が聴こえてきた。

仕方なく、父と付き添いの役人たちは、せめて精をつけさせるために用意した夕食の膳を、主人公のいないまま囲むことにした。

二人の地方役人も、意気揚々と上京したころの顔色ではない。

人々はしばらくの間、無言で箸《はし》を動かした。

「まあ、ここまで来ただけでも、よしとせねばならんですな」

梁《リアン》大爺《ダアイエ》の言わでもの一言に、役人たちは一瞬、露骨にいやな顔をした。

彼らは大地主の落胆する以上に肩を落としていた。公私にわたって懇意にしている梁家から進士が誕生したとあれば、彼らの前途は洋々と開ける。いや、彼らにとってこの先の光明といえば、進士様の余禄に与《あずか》ることだけなのだ。その希望に胸を膨らませて、静海《チンハイ》からの長い道程を騾車に揺られてきた彼らなのであった。

「少爺《シャオイエ》はだいぶお疲れのようでしたね」

と、役人のひとりがさし障りのない言葉を選んでそう言った。

「気を入れて答案をお書きなすったのでしょう」

もうひとりが大爺の顔色を窺いながら相槌を打った。間のびした空疎な会話のたびに、人々の箸と顎の動きは止まる。

梁大爺はいかにも大地主らしい太りじしの顔をむりにほころばせて、二人の役人を慰めた。

「おふた方にはわざわざ京師までご足労いただき、いろいろとお世話になりましたが、やはりあれも井の中のかわずであったようです。どうかこれに懲《こ》りず、また三年ののちご助力下さい」

役人のひとりはすでに弁髪に白いものが目立ち、もうひとりは額を剃る手間の要らぬ齢である。三年という時の重みはありありと彼らの肩にのしかかっていた。

大爺は会話のすきまを埋めるように、いっこうに進まぬ食事を役人たちに勧めた。

「まあ……考えてみれば、あのみそっかすが進士様だなぞと、まともに思ったわしが愚かでしたわい。酒はくらう、煙草はのむ、女の尻は追いかける。つまりここまで来ることのできましたのも御仏のご加護、いや何かのまちがいでござろう。それにしても、頭場で早くも息が上がるとは……いやはや面目次第もない……せめて末等なりとも合格すれば、たちまち県知事にもなって皆様のご恩に報いられようものを……」

大爺は語りながら牛のような目に涙すらうかべている。いかにも田舎のお大尽らしい誠実さにうたれて、役人たちも箸を置いた。

「梁さん。まあ、そうお力を落とさず。私どもにはもともと他意はございません。進士を出すことは郷土の誇りなのですよ」

「さようです。本来ここにおられるべき兄上も、次回はきっと挙人になられ、会試に挑まれることでしょう」

話すほどに気まずさばかりが食卓を被《おお》っていった。

夢も希望もなくなった下級官吏たちは、鼠のようなそぶりで飯を食い、梁大爺《リアンダアイエ》は一時の間に十も老けたように見えた。

そのとき突然、扉が蹴り開けられて挙人の高笑いが轟いた。不意を突かれた人々は椅子を倒し、箸も碗も投げ置いて立ち上がった。

「どうした、史了《シーリアオ》！　気をしっかり持て。おまえはまだ若い、次ということもあるのだ！」

長袍《チャンパオ》の袖を剣戟《けんげき》のように振り回して笑い転げる息子を、大爺は懸命に慰めた。身のほどもわきまえずに会試に挑んだ結果、挙人はついに狂ったのだと誰もが思った。

文秀《ウェンシウ》は体をそり返らせて一声高く笑い、やおら椅子の上に飛び乗って豚の耳にかじりついた。

「史了君！　気持はわかる。しかしまだ結果が出たわけではないぞ」

「さよう。二場も三場も、ともかくやりおおせてもらわねば。やけを起こさずに、な」

文秀は皿を払い落として食卓の上にあぐらをかいた。豚の耳をばりばりとかじり、飲みさしの盃を一息に呷《あお》る。

「もう結果なんかわかってるわい！」

と、文秀は酒を噴き散らしながら怒鳴った。すでに目は据わっている。

「……これ、史了。何だねその態度は……」

騒ぎを聞きつけて庭先には人が集まり出した。

「ふうっ。そうか、そういうわけだったか。どうりでおかしいと思った」

文秀に睨みつけられて、役人たちはあらぬ言いわけをした。

「いや、そうじゃない。われわれは君の合格を期待して、将来ひきたててもらおうなんて——」

「そう、お父上の祝儀にあずかろうとか、そんな気持はさらさらないよ」

ふん、と文秀は鼻で笑って、盃になみなみと酒を注いだ。

役人たちの本音を耳にして、大爺は憮然としたが、今はそれどころではない。会試に臨んで狂人を出したとあっては、のちのちまでの笑いもの、もちろん兄の今後にも支障をきたす。

ともかくも父は、文秀の手から酒瓶を奪い取った。酔えばたちまち人格が変わり、しかも際限なく後をひく悪い酒であることを、父は良く知っていた。

「やめろ、やめなさい。やめんか、こら。試験が終ればいやというほど飲ませてやるから」

文秀《ウェンシウ》は父の腕から酒瓶を奪い返した。

「なあ、おやじ——」

と、早くも頬を赤らめて、文秀は父を見つめた。

「そうあわてるなよ。これは祝盃だ」

「なにを言っとるか。たいがいにせい」

「いや、そうじゃないって」

と、文秀は卓から飛び下りて、父の手に盃を押しつけた。

「喜んでくれ。俺はとうとう進士様だ。よかったなあ、これで一族は安泰、国に帰れば家の中はあちこちからの付けとどけで宝の山さ。なんなら一足先に帰って、あのぽんこつ兄貴に算盤《そろばん》でも教えておけ」

「史了《シーリァオ》、おまえ……とうとう……」

父は狂ってしまった息子を前にして、立ったまま泣いた。

「よかったなあ、おやじ。これでもう県城でも都でも、田舎大尽とばかにされることはないんだ。よかったよかった」

「ちっともよかない……わしは不幸な男じゃ」

文秀はうなだれる父の肩を抱き寄せ、耳元で言った。

「ひと眠りして、やっとわかったんだ。どうやら俺は神憑《かみがか》りらしい。太上《タイシャン》老君《ラオチュン》だか三皇五帝だか知らんが、俺にはどえらいものが憑《つ》いている。もう怖いものなんて、何もないんだ」

「わかった……史了、もう何も言うな。試験はもう良いから、明日は医者に診てもらおう」

父をつき放し、ひときわ甲高い笑い声を残すと、文秀は庭に駆け出した。遠巻きにして怯える従者たちや宿の使用人たちを眺め渡し、大声で呼んだ。

「春児《チュンル》！　どこにいる。チビ、どこだ！」

誰も文秀を止める者はいなかった。大爺《ダアイエ》は役人たちに支えられて呆然とつっ立っていた。

厩《うまや》の飼葉の中から、春児は寝呆けまなこのまま引きずり出された。

文秀は春児を横抱きにかかえたまま走った。入り組んだ胡同《フートン》をつむじ風のように折れ曲がり、やがて人ひとりがようやく通れるほどの狭い抜け道に躍りこんで、春児を地べたに投げ出した。

　高い塀にせばめられた星空をしばらくじっと見上げ、文秀《ウェンシウ》はひとしきり、たしかに狂ったとしか思えぬ笑い方をした。

「少爺《シャオイエ》！　どうかなっちまったのかい。しっかりしとくれよ」

　文秀はふと真顔になって、春児《チュンル》の目の前に屈《かが》みこんだ。

「おい、大変だぞ。ひと眠りしてやっとわかった。これは大変なことだ」

「何が？——試験、うまく行かなかったのかい」

「いや、上出来だった。どうやら俺には太上老君がとりついたらしい」

「老子様が？　どういうこと」

「話せば長くなる。おまえなぞに言ったってわかりはすまい。ともかく、だ、白太《パイタイ》太《タイ》の言ったことは本当だ。俺はまちがいなく優等で進士に及第して、きっと宰相になる」

「ほんとかい、少爺。じゃあ、うまく行ったんだね」

「おお。あんな答案、誰にも書けるものか。第一、あれは俺が書いたんじゃないもの」

「え？　なんだって。どういうこと？」

「つまり、だ――」

と、文秀は春児の剃り上げた額をぺたぺたと叩いた。

「俺の体を借りて、太上老君がかわりに答を書いて下すった。わかるか、孔子様の質問に老子様が答えたんだ。これ以上の答案を、いったい誰が書けるね」

意味はわからない。ただ、きっと試験はすばらしい出来ばえだったのだろう、と春児は思った。

文秀は物事を深く考えるときいつもそうするように、藍衣の袖をおろして肘を組み、やや俯《うつむ》いて歩き出した。迷路のような胡同《フートン》の闇から闇へと、いったいどんな難しいことを考えているのだろうと春児が訝《いぶか》しむほど、黙って歩き続けた。

騾馬市《ルオマーシ》大街《ダアチエ》の広い通りに突き当って、文秀はようやく足を止めた。

芽吹き始めた柳の並木が夜風にそよぐと、店々の灯がまばゆく瞬いた。都大路を吹き抜ける南風には、春の匂いがした。

「しかし、問題はおまえのことだ。俺が帝のお側に遠からず上ることはまあこれで良いとして、おまえが老仏爺《ラオフオイエ》様のお宝をちょうだいするという件はだな――さて、どうしたものだろう」

ううむ、と文秀は唸った。

「ひとつが当たったんなら、もうひとつだってきっと当たるよ」

「簡単に言うな。お城の宝物をごっそり手に入れるなんて、あまりにも畏れ多い話だ。第一、考えてもみろ、犯罪の匂いがするじゃないか」

「おいら、悪いことはしないよ。どんな貧乏したって、他人様の物に手を出しちゃいけないって、おやじの遺言だ。泥棒なんてするわけないぜ」

「わからんぞ。物事には成り行きということがある。俺を見ろ、成り行きまかせがこの結果だ」

春児《チュンル》は夢のような街路を歩きながら、すでに自分がこの京師の闇の中で宝探しを始めているような、ふしぎな気分になった。

「おいら、ずっと考えてたんだ。おやじが働きづめに働いて、体をこわして死んだのも、大哥《ダアコオ》がはやり病にかかったときお医者に診せられなかったのも、三哥《サンコオ》が兵隊を志願してどっかに行っちまったのも、みんな貧乏のせいだろう。だからおいらは早えとこお宝を手に入れて、貧乏な人たちにめぐんでやるんだ。ねえ、少爺《シャオイエ》もそう考えているよね。少爺はやさしい人だもの」

文秀《ウェンシウ》はいよいよ困惑して、袖を引く春児を見下した。

「うむ。おまえはえらい。とても子供の考えることではないな。しかし――おまえがその早えとこ泥棒をやるとなるとだな、つまりこのさき大臣宰相になる俺にとって、とても厄介な存在になると、そう考えていたんだ」

「なんで？　どうして少爺と関係があるのさ」

「あるさ、大ありだ。お城の宝をそっくり奪うような泥棒といえば、生半可な悪党じゃないぞ。たとえば明の国を滅ぼした李自成《リィヅチョン》みたいな流賊の親玉にちがいない。だとすると、俺は将来おまえにひどい苦労をさせられることになるし、へたすりゃ攻め殺されるかも知れない」

文秀は笑いもせず、きっかりと春児を睨み据えて言った。

「だから、おいらは泥棒なんかしねえって。そんな悪いこと……」

「李自成だって自分のことを泥棒だとは言わなかった。三分の理も、相手が一国となれば立派な大義になる。ともかくそういうわけだから、俺は進士に及第したらおまえとは縁を切らねばならん」

そう言ったなり、文秀は踵《きびす》を返してもと来た道を戻り始めた。気付かずにしばらく歩いてから、春児はあわてて追いすがった。

「ずるいよ、少爺。自分だけうまく行ったとたんに、おいらのことはもう知らねえなんて、そりゃあんまり薄情だ」

「冗談だよ。ただし、これだけは言っておく。俺が役人になってこのつぎ都に上るときは、もうおまえを連れてくるわけにはいかない。薄情なようだが、それはわかるよな。いくら進士出身だって、はなっから子供の従者を連れて歩くわけにはいかんだろう」

「じゃあ、おいらどうすりゃいいのさ。また村へ帰って、糞拾いをするしかないじゃないか」

春児《チュンル》は頰を膨らませた。文秀《ウェンシウ》は答えてくれない。

「……いいよ。そういう人だったんだね。わかったよ。おいらこうなったら、勝手に都で糞拾いをやるから。ほら、見て。ここは宝の山みてえなもんだ」

春児は路地の暗がりに尻をまくって、野糞をたれている人影を指さした。

都の人は所かまわず糞小便をたれることに春児は気付いていた。そのうえたくさんの騾馬《らば》や馬も、ひっきりなしに糞をしながら歩いている。ここなら一稼ぎできるかも知れないと、まじめに考えていたのだった。

「なあ、春児――」

と、文秀は春児の肩を抱き寄せて、大街《ダァチェ》の先を指さした。「だったらあれを見ろ」

肥桶をぎっしりと積んだ荷車が止まっている。屈強な人夫が鉄のシャベルを担いで路地に入って行った。と見る間に、山盛りの糞を提げて出てきた。

「ありゃ……」

「どうだ、わかるか。おまえの入りこむ余地はもうない。それともあいつらに弟子入りするか。経験はあると言えば、使ってくれないこともあるまい」

春児はあんぐりと口を開けて、大がかりな収集作業を見つめた。男たちは一台の荷車に三人がかりで糞を積み、胡同《フートン》の入口をひとつずつめぐっている。

「うわあ、大の男が三人。荷車に鉄のシャベルでやんの。かなわねえや」

「な、わかったろう。世の中それほど甘くはないんだ。おとなしく村に帰って糞拾いをやれ。あそこなら今のところおまえの独占事業でもあるし、みんなけっこう重宝してるんだから」

春児はいよいよ頰を膨らませた。

「やだ。それじゃ白太太《パイタイタイ》の言ってたこととと全然ちがうじゃねえか。おいら、都で金持ちになるんだ」

「何年かたてば俺も出世する。おまえも一人前になる。そしたらまた雇ってやるから。な、そうしろ」

「やだ。ぜったいにいやだ。いいよ、村に帰ったらもういっぺん白太太に聞いてやる。少爺《シャオイエ》だけ当たって、おいらが当たらねえってのは、どうしても腑《ふ》におちねえ」

春児《チュンル》は文秀《ウェンシウ》の手を振り払って駆け出した。


翌朝早く、文秀はうって変わった顔色で会試第二場に臨んだ。

目に見えぬ巨大な力が自分に加担している。頭場の夜のふしぎな出来事は、決して換巻などではない。自分は宿命の星に導かれているのだ——はっきりとそう信じたとたん、すべての迷いは嘘のように消えうせた。

彼の身の上にいったい何が起こったのかは誰も知らない。しかし明らかに文秀は、頭場のときとは別人のように尊大に見え、表情は自信に満ち溢れ、物腰も泰然として、体さえ一回り巨《おお》きく見えた。

同じ号筒《ハオトン》の挙人たちは誰もが目を瞠《みは》り、よほど頭場の答案がうまく行ったのだろうとか、何か変わったまじないでもしたのだろうとか、はては双子の兄弟でもいるのではないか、などとあらぬ噂をしあった。

五問の五経題と向き合った文秀の脳からは、滾々《こんこん》と湧き出る泉のごとく名文章が溢れ、筆先にはわずかのとまどいすらなかった。三日二晩ののち、彼は一言一句ゆるがせにできぬ完全な答案をものにした。

さして疲れも感じずに颯爽《さっそう》と宿舎に戻り、相変わらず沈鬱な人々とは口さえきかずにぐっすりと眠った。

明けて第三場に臨んだ文秀は、さらに尊大に、さらに悠揚迫らざる士大夫《したいふ》の風貌をそなえていた。号筒の挙人たちはもはや噂することもせず、ただその貫禄におののいた。

三日二晩ののち書き上げた五題の策論は、いくど読み返しても唸るほどの大文章である。

全科目を終了して貢院を退場したのは、三月十六日の午後であった。こうして八日早暁に入場を開始して以来、えんえん九日間に及ぶ順天会試は、明遠楼《ミンユアンロウ》に轟く三発の号砲とともに終った。進士登第の合言葉のもとに二万余の挙人が切磋《せっさ》し、命を削って競い合った試験は終ったのである。

誰もが精も根も尽き果て、一貫目も痩せて号舎をよろめき出た。荷籠を引きずって地をはう者もあり、隣房同郷の者があい支え合って、ようやく大門にたどり着く有様である。精悍《せいかん》な挙人のおもかげなどひとつもなく、どの顔もみな埃《ほこり》と脂《あぶら》にまみれ、滂沱《ぼうだ》と涙しつつ歩む者も少くない。

「……史了《シーリアオ》。おぬしは全く変わったやつだな。さすがの俺も、もう立つことすら億《おっ》劫《くう》だというのに。何でおぬしひとりそんなにも元気なんだ」

大門の前で最後の点呼を受けながら、王逸《ワンイー》はあきれたように文秀《ウェンシウ》を見上げた。

小柄だが頑健な彼の体も、たしかに一回り小さく見える。点呼を待つ間にも、ほとんどの挙人たちは地べたに屈みこんでいた。ただひとり、藍色の沼に立つ標《しるべ》のように、文秀はすっくと立っている。

「ああ、俺は昔からこうなんだ。初めはどうもその気にならんのだが、だんだん力が湧いてくる。つまり君らは馬で、俺は騾馬《らば》みたいなものさ」

点呼が終り、試験官の号令とともに大門が開かれると、挙人たちは転がるようにしてそれぞれの出迎えのもとにたどりついた。

二万の挙人を迎えるために、それに数倍する付き添いの群衆が広場を埋めつくしていた。

人ごみの落ち着くのを待って、文秀と王逸は出迎えを探した。王《ワン》家の人々と梁《リアン》家の騾車《らしゃ》は、まるで申し合わせたように、貢院の壁に沿って並んでいた。

礼服を着こんだ王の父親と地味な平衣の梁大爺《リアンダアイエ》が立話をしている。片方は自信満々と笑いかけ、もう片方はややうなだれて、仕方なさそうに相槌を打っている。

文秀は初日の騒動以来、父親とは一言も口をきいていない。会館では自室に引きこもり、翌朝まだ誰も起き出さぬうちに、勝手に試験場へと出かけた。

二人が戻りつくと、王逸の一行からは華やかな喝采が湧き起こったが、文秀の出迎えはろくに声も出ない。ようやく試験をおえたわが子をねぎらうでもなく、父は文秀を幌の中に押しこんだ。

続いて騾車に乗りこむと、疲れ切った挙人たちの中でただひとり元気に見えるわが子をしげしげと眺め、梁大爺は言った。

「くそ、よりにもよって河間《ホーチエン》の王のやつと隣り合わせてしまったわい……おまえ、何だか元気だな。まさか答案を書かずに、ぐっすり眠っていたのじゃあるまいな」

「ちゃんと書きましたよ。ま、あの王君には及ばずとも」

「未完の答案は、向こう三回受験停止の罰だぞ」

「はい、大丈夫ですよ。自分なりに力は尽くしました」

「おまえなりにな……さ、早く帰ろう」

「なにもわざわざ車でやってくることはないじゃないですか。他の人に迷惑ですよ」

「王のおやじに嫌味を言われた。車でお迎えとは、さすがに手塩にかけた息子さんですな、だと。わかるか、その意味が」

「さあ――」

「どこの家も、人前にさらしたくない落第生は車で迎えるのだよ。見てみろ、王《ワン》のやつ早くも進士きどりで行列して行くわい」

梁《リアン》家の騾車は王の行列を追い抜いて進んだ。幌を持ち上げて文秀《ウェンシウ》は王逸《ワンイー》を呼んだ。

「嘉六《ジアロウ》！　殿試で会おうぞ。保和殿で！」

「おお。楽しみにしているぞ、史了《シーリアオ》！」

二人は拳を上げてそう誓い合ったのだが、付き添いはみなうさん臭そうに文秀を睨みつけた。父はあわてて幌を下ろした。

「何を言うか、このうつけ者。さ、ともかく今晩中に出立するとしよう。なるべく人目につかぬようにな」

「人目につかぬ、って、またなぜです？」

「きまっているではないか。敗軍は旗を巻いて、こっそりのがれるのだよ」

文秀には頭場の晩から掌《てのひら》を返したように冷ややかになった父や周囲の心のうちが、全く理解できなかった。

父はまるで穢《けが》らわしいものでも見るように、肥えた首をぐいと引いて我が子を見た。

「やれやれ、こんなみじめな気分は初めてだ。だからあわてて進士などめざさずに、あと三年しっかり学問を積んで、兄と一緒に参れば良いと、あれほど言ったじゃないか」

「はて、そんなことおっしゃいましたかね。郷試をうかったとたんにすっかり舞い上がって、会試だ会試だと騒ぎ出したのはおとうさんじゃないですか。騎虎《きこ》の勢いじゃ、なんて」

「ふん。わしはそんなことは言わん。何が騎虎の勢いじゃ、豚にまたがったような呆《ほう》けた面をしおって。ああ、やだ。帰ってみんなに何と言おう」

そのあたりで、文秀はようやく父の内心を読み取った。自分が頭場に臨んでいる間、父はいろいろな人から科挙の難しさを聞き知らされて、すっかり臆病になってしまったにちがいない。

田舎者の父や県城の小役人どもにしてみれば無理からぬ話ではある。しかしそれにしても周囲の動揺は、文秀にとって心外であった。

文秀は騾車の敷物の上にごろりと横たわって、大きなあくびをした。父は息子を見下して溜息をつく。

「そういうぞんざいな態度ひとつにしても、他の挙人たちとは違うわい。やれやれ、この恥をどうしてそごうか」

両掌を枕にして、文秀《ウェンシウ》は暗い幌を見上げた。いったい才子たるもの必ず君子然としていなければならぬなどと、誰が決めたのだろう。

「お言葉ですがね、おとうさん。見かけや行いだけで人を判断するのは、良くないと思いますよ」

轍《わだち》に揺られながら、父の背は力なくうなだれていた。

「……わしは、県下の挙人を何人も見知っておる。みなおまえとは全然ちがう。たとえばあの王逸《ワンイー》を見よ。才気煥発《かんぱつ》、挙措優雅、見るからに士大夫《したいふ》の風格があるではないか。彼らの中にあっておまえが落第することは、そのみてくれひとつにしても明々白々じゃ。ああ、万が一のまぐれ当たりなんぞに期待したわしが愚かじゃった。天は、公平だ」

「まあそう力を落とさずに。まだ結果が出たわけじゃないんですから」

「これが力を落とさずにおられるか。他人事のように言うな、この大うつけが」

いったい誰に何を聞かされたものか、父の思いこみは相当なものである。さて、どう説明したら力づくのかと、文秀は考えた。

「それにしても、発榜《はつぼう》までの一ヵ月間、何とも落ち着かぬことです。ねえ、おとうさん」

「……もうとっくに落ち着いておるわ。発榜など見るまでもないわ。人でもやって改めさせれば良かろう」

「ちょっと待ってよ」

と、文秀はさすがに気色ばんで起き上がった。

「いくらなんだって、そりゃあんまりじゃないですか。確かに私はにいさんとはちがって変わり者ですよ。酒も煙草ものむし、士大夫の風格なんてありませんよ。だけど、試験が終ったとたんに発表など見るまでもないなんて、そりゃあんまりひどすぎるじゃないですか。ふつうの親なら、良くやったとか、あとは天命を待とうとか、そう言って励ましてくれるのが親心ってものじゃないですかね」

「わしはふつうの親だが、おまえはどう考えてもふつうの子供ではない」

「ふつうじゃないのはわかってます。だけどね――」

「わかったわかった」

と、父は振り向いて馬をなだめるように息子の肩を叩いた。

「わかったから、今日のところは国に帰ろう。よおし、いい子だ。おまえもバカだが、夢を見た父もバカだった。帰ったらいい先生を探して、もういちど論語のおさらいから始めような」

文秀《ウェンシウ》は父の腕を摑んで引き寄せ、耳元ではっきりと言いきかせた。

「発榜を見たくなければ勝手にお帰りなさい。私はとどまってこの先の準備をします」

「この先の準備だと？　何だね、出家でもする気か」

「いえ。ちがいます」

文秀は雀頂《じゃくちょう》の冠を正し、藍衣の胸を張ってこう言った。

「一月後に迫った、殿試の準備です。皇帝陛下の臨御のもとに行われる、最終試験の準備ですよ。私は――必ず進士に登第します」

九

そのころ、挙人たちの命運のかかったおびただしい墨巻は、古来からの厳密な掟に従って、向こう一ヵ月間に及ぶ採点作業に移っていた。

貢院内の至高堂に提出された答案は、まず受巻官の手によって汚れや空白や誤字脱字のないことを点検されたのち、弥封官《びほうかん》の手に渡る。

弥封官は採点に際して不正の行われぬよう、墨巻の冒頭に付された受験生の氏名履歴を堅く封印し、判を捺す。そしてそれぞれに千字文《せんじもん》と数字の符号を打ち、任意の百巻を一束として謄録所《とうろくしょ》に送る。

広大な謄録所には二千人の書記が待機しており、朱色の筆を用いて答案をすべて別紙に写しとる。以後の採点はこの朱色の副本――硃巻《しゅかん》によって行われる。

次に副本の硃巻と正本の墨巻とは一対にされて対読所に送られ、対読官たちの読み合わせによって筆写に誤りのないことを確認される。もし誤写のある場合は、黄色の墨で訂正がなされる。

対読所を出ると、正本の墨巻は別途に保管され、副本の硃巻だけが考官のもとに送られる。

こうして、採点にかかる以前の段階で、答案はあらゆる不正や偏見の入りえない無記名の複写物となっている。

まさに水も洩らさぬ厳正さである。

貢院内はさきの至高堂を授受の窓口として、試験場となる外簾部《がいれんぶ》と採点場となる内簾部とに分けられ、その間は高い塀で隔てられている。大がかりな点検と複写の作業を経たのち答案が運びこまれる場所は、この内簾部のさらに奥まった衡鑒堂《こうかんどう》である。

朝廷から欽派《きんぱ》された正考官一名、副考官三名、同考官十八名からなる採点団は、それぞれの個室にこもって審査を開始する。

彼らはすでに試験開始の数日前に入場しており、以後一ヵ月半ここに起居して外部との一切の接触を絶つ。

まず気鋭の若手官僚である同考官の個室に硃巻《しゅかん》が振り分けられる。彼らは受験生の氏名も筆跡もわからぬまま内容のみをじっくりと吟味し、藍色の墨で評価を書き加え、及第に足ると思われるごく一部の答案のみを、正副考官の個室に薦《すす》める。

この先は正副四名の考官による回覧である。

いずれも当代一流の学者であり、三品《さんぽん》以上の大官でもある彼ら四名が、そろって「合」の判定を下さねば及第とはならない。答案にはここで初めて当落の黒筆が用いられるのである。

まさしく天上の星々を定めるような、厳格にして神聖な審査であった。

筆頭副考官、楊喜楨《ヤンシーチエン》は同治《どうち》年間の状元《じょうげん》、三十五歳にして礼部右侍郎《れいぶうじろう》、すなわち文部次官の要職につく穎才《えいさい》である。翰林院《ハンリンユアン》出仕を経て皇帝の秘書官たる南書房行走に任じ、その学問の師傅《しふ》までも務めるという進士中の選良、まさに科挙第一等の状元を絵に画いたような人物であった。

その学識と名声は全官僚中に響き渡り、三品の大官であるにも拘《かかわ》らず、人々は彼を「楊先生《シエンシヨン》」「楊老師《ラオシー》」と呼んだ。そしてその孤高の威風、年齢不詳の無表情はいかにも稀代《きたい》の学徹と呼ぶにふさわしい。

楊先生は衡鑒堂の個室にこもり、長袍《チャンパオ》の背を旗竿でも立てたようにぴんと伸ばして、黙々と答案を読む。その姿には神々しい仙気がたちこめており、容易に声をかけることさえ憚《はばか》られる。

回廊を忙しく走り回る胥吏《しょり》たちも、楊先生《ヤンシエンション》の部屋の前を通り過ぎるときには靴音を忍ばせ、息を詰めるのであった。一巻を読み了《お》えるたびに、楊先生は筆を執って深い溜息をつく。彼にとって及第に値《あたい》する答案などありはしないのである。同考官たちが自信をもって薦め、他の二名の副考官が推したどの硃巻《しゅかん》も、ひとたび楊の目に触れればことごとく「少精義《とりえなし》」の符箋が付けられて差し戻される。合格には正副考官四名の賛同が必要であるから、いきおい採点開始から数日たっても、正考官の机上には一巻の答案も上がってはこないのであった。

誰しも多少の予測はしていた事態である。しかし日がたつにつれて、自分の薦巻を次々と退けられる他の考官たちは不満を洩らし始め、いっこうに及第者を出せぬ正考官はあわてだした。このまま行けば、皇帝臨御の殿試に推す頭数が足らぬ、という前代未聞の事態にもなりかねない。

焦慮の末、正考官は楊喜楨《ヤンシーチエン》を自室に呼びよせた。漢軍正白旗《せいはっき》都《と》統《とう》、兼刑部尚書《ぎょうぶしょうしょ》――つまり近衛師団長と法務大臣を兼ねるこの老大官にとって、楊副考官はどうにも苦手な相手である。

なにしろ楊という人物は、朱熹の生れ変わりだという噂が実《まこと》しやかに流れるほどの、四書五経の大家である。長く進講係も務めて、皇帝や王侯の覚えもめでたい。いわゆる江南学閥の権威として文人官僚の尊崇を集めてもいる。そのうえ、いよいよまずいことには、正考官とは進士以来の政敵である礼部尚書の懐刀《ふところがたな》なのであった。

つまり、実力があり、引きも良く、しかも他派閥から幕下《ばっか》に差遣された部下、ということになる。

――楊喜楨は冷徹な感じのする細面をぴくりとも動かさずに正考官の前に進み出ると、片膝をついて礼をした。

いつもそうなのだが、学問にこり固まったこの男には人間的な表情というものが全くない。作法通りの拝礼ひとつにしても、豪放磊落《らいらく》な気質の正考官からすると、かえって慇懃《いんぎん》無礼に見える。

正考官はつい臆する気持を笑ってごまかしながら、楊に椅子を勧めた。しかし楊は相変らず仮面のような無表情のまま席を固辞する。

この際、採点を甘くしろと命ずるのは、いかに上司といえどもたいそう難しい。

「楊君、決して気分を悪くせんでくれたまえよ――」

と、正考官は楊の自尊心を傷つけぬよう、婉曲かつ丁重にその意思を伝えた。

すると、楊《ヤン》はしばらく肖像のように黙りこくった。じっと上司の目を見つめる。この息づまる沈黙は彼の癖である。知らぬ人間はいったい何ごとかと冷汗をかくのだが、当の楊喜楨《ヤンシーチエン》はべつに機嫌を損ねたわけでもなければ答に窮しているわけでもない。

ただ、思惟《しい》しているのである。

彼は学問に没頭してきた結果、存在そのものがほとんど考える機械となっており、ふつうに物を考えているときも何かを工作する機械のように、決して考えているふうには見えないのであった。

しばらくそのようにして上司に冷汗をかかせてから、楊はおもむろに唇だけで言った。おそろしいことに、学問のしすぎで話す言葉さえ古典である。

「御意《ぎょい》は確かにうけたまわります。されど閣下、考官はあくまでそれぞれの主観をもって採点を行のうのが本旨と心得まする」

「……いやね、君。それでは正考官としての私の立場がだね——」

「御意はうけたまわります。されど、閣下のお立場を慮《おもんぱか》って採点に手心を加うるは、博《ひろ》く天下の才子を求むる科挙の理《ことわり》に反し、ひいては畏れ多くも皇帝陛下の聖明を被うこととともなりましょう。臣、楊喜楨、ただ聖慮の赴くところ合を合とし、否を否とするのみにございまする」

そう言うと、楊は顔色ひとつ変えず、また慇懃な礼をして退室してしまった。正考官はしばし呆然と天を仰いだ。まったくとりつくしまもない。要するに忠告は、きっぱりと断られたのである。そして考えるほどに、楊の言うことは理に適っている。もうなるようになれと、正考官は開き直るしかなかった。

楊副考官は何ごともなかったように退室すると、衡鑒堂《こうかんどう》の回廊をまるで宮中を行くようにすり足で歩く。行き合う役人たちはその威風にみな畏れおののいて道を開く。

個室に戻ると、楊は黒檀《こくたん》の机に並ぶ文具類をきっちりと並べ直す。それからおもむろに筆を執《と》って、判紙の上に「一」の字を三つ、「十」の字を三つ、「乙」の字を三つ丁寧に書いて筆先を整える。筆を擱《お》くと、湿らせた真綿で両の指先を爪の間まで拭って、再び答案に対《むか》うのであった。

凜と背を伸ばして、姿勢は微動だにせず、じっくりと答案を読む。熟読するにも拘らず、末尾にはあっさり「少精義《とりえなし》」または「平妥《くだらん》」と書き入れる。その繰り返しで、机の上には落第の硃巻《しゆかん》が堆《うずたか》く積まれて行く。

採点作業は日が落ちてからも続いた。胥吏《しょり》が灯火を捧げ持って考官たちの部屋をめぐり、そしてまた、新たな硃巻《しゅかん》の束が届けられる。

燭台が運ばれると、楊《ヤン》はいちど休憩をし、熱い茶を喫する。実はこの一服にも彼なりの合理的な理由があった。自然光の中で読むものと、灯火の下で読むものとでは印象が異なるかも知れぬので、灯の入ったときにしばらく間を置いて目を慣らし、改めて硃巻に向き合う、というわけである。

さて、再び机に向かい、背筋を伸ばして採点に入る。

楊喜楨《ヤンシーチェン》がその硃巻に遭遇したのは、まさにそんなときであった。

「欽命四書経義題」と記された表紙を開く。冒頭の数行を黙読して、楊はいったん目を上げ、首を回した。まったく彼らしからぬ動作である。

もういちど冒頭から読み直す。彼の顔が再び硃巻から離れることはなかった。読み進むほどに、楊の毅然と伸びた背は丸くなった。のみならず、細い指先は朱色の文字の上をなぞり始め、ついには堅く閉ざされた口元がゆるんで、ぼそぼそと音読する声まで洩れ始めたのである。

三度くり返し精読したのち、楊喜楨は腕を組んで沈思した。それから思わずひとこと呟いた。

「これは、良い」、と。

採点欄にはすでに考官たちの合格評が並んでいる。

まず同考官の評——経義精確《せいかく》　論策博通。

四書五経の解答については極めて精緻《せいち》であり、政策論については博学にして論理的である、という評価である。

副考官の評——経義博弁　論策宏深。

もう一人の副考官の評——経義粛括《しゅくかつ》　論策条達。

いずれも最高級の採点を下している。

楊喜楨は筆を執ると、彼らの隣りに角ばった、活字のような楷書で迷わずにこう記した。

「経義稠密《ちゅうみつ》　論策切実　合也」

——四書五経題については、ぎっしりと内容が豊富でしかも正確、政策論については空疎に終ることなく極めて現実的で優秀。よって合格である、と。

いったい誰の手になるものか、無記名複写本の硃巻からは知る由もないが、まさにこれは天衣無縫の答案である、と楊喜楨は得心した。

貢院の夜はおそろしく長い。

なにしろ採点官たちは試験の始まる数日前から世間と断絶し、すべての審査を了《お》えて発榜《はっぽう》に至るまで、一歩も塀の外に出ることは許されない。およそ一月半もの間、一千数百年も変わることなく続くこの文治政治の砦にたてこもるのである。

それも何万人の人間が貢院内に犇《ひし》めいているうちなら気分はまだ紛れもするが、試験が終って受験生たちが退場し、大勢の筆写係や対読係が任務を終えて出て行き、それに応じて不要になった胥吏《しょり》や兵士や印刷所の役人たちが退場してしまうと、やがてあたりは墓場のような静けさとなる。

採点も佳境に入るころともなれば、内簾部の衡鑒堂《こうかんどう》はまさに絶海の孤島のようなもので、二十二名の考官たちと食事や雑用係の吏員と、発榜の準備をするわずかな礼部の役人しか残ってはいない。

気晴らしに楼に登れば、無人になった号舎の屋根が見渡す限りの大海原のように広がっている。そして彼らの心をいっそう荒寥《こうりょう》とさせるものは、二万人の挙人たちが残した硃巻《しゅかん》の山である。

四人の正副考官は揃って夕食の卓を囲み、盃をかわすのが日課であった。

しかし彼らの無聊《ぶりょう》を慰める唯一の娯楽であるこのひとときも、そのうちひどく退屈な、儀式のようなものに変わった。

まず献立に飽きる。外界と隔絶されているということは、同じ調理人が同じようなものを毎日食わせることになるからである。

いよいよ食傷するところにきて、膳を共にする四名がいずれも各官衙《かんが》から選抜されてきた顔ぶれであるから、めったな話はできない。

そこで、さし障りのない故郷の話とか、花鳥風月の題とか、歴史上の出来事についてを食卓にのぼせることとなるのだが、それとてもともとが世間のありようを知らぬ学者たちの話題であるから、卓上の料理と同様じきに飽きる。

そしてとりわけ、筆頭副考官である楊喜楨《ヤンシーチエン》の存在は、ただでさえ鬱々とした食卓をいっそう冥《くら》くさせるのである。

たとえば男が数人よれば、猥談という限りなく楽しい話題はある。しかしかたわらに寡黙で謹厳な楊がのそりといれば、それすら誰も口にしようとはしない。

怪異譚《かいいたん》という手もないではないが、やはり相手は怪力乱神を語らぬ士君子である。楊先生《シエンシヨン》は背筋にいつも旗竿を立てたまま、無言で人々の口を封じてしまうのであった。

なにしろ徹底した菜食主義者である楊先生は卓上の肉類には決して箸《はし》をつけず、

もちろん一滴の酒も飲まない。物を食いながらでも視線を眼前一尺の点に据えて、常に思惟《しい》している。

だったら早々に退散してくれれば良いのだが、気の回らぬ彼はこれも任務のうちと考えてか、他の三人が席を立つまで決して自室に戻ろうとはしない。そこで考官たちは、いよいよ言葉を選び、まるで通夜の客のようにまずい酒をくみ交さねばならないのであった。

しかしその晩、楊先生《ヤンシエンシヨン》の態度に異変が起こった。

常にない軽やかな足どりで食堂に現れるや、にこやかに笑いながら卓についたのである。正考官と二人の副考官は顔を見合せた。彼の笑顔など、誰も見たことがなかったからである。

しかも卓につくなり、楊はいきなり愕《おど》くべきことを言った。

「さて、今宵はご酒《しゆ》をいただくことといたしましょう」

まっさきに瓶《へい》を勧められて、正考官はあせった。採点方法に難くせをつけたきょうのきょうでもある。さては楊のやつ、思うところあって何ごとか重大な建言でもするのではあるまいか——。

盃を受けると、とっさに正考官は話題を転じた。面倒なことを言い出させてはならぬ、と考えたのである。

「ところで楊君。そなたはおいくつになられるのかね」

楊は年齢不詳の顔をほころばせて、にこりと笑った。見なれぬ笑顔は人々を仰天させた。石の地蔵がにっと笑ったような不気味さである。

「三十五になりますが、なにか？」

人々はいっそうおののいた。楊喜楨《ヤンシーチエン》が先代同治年間の進士で、外見は老けているが実は若いのだ、ということは知っている。しかし面と向かってそう言われると、その風格からしてにわかには信じがたい。

副考官の一人が思わず口走った。

「何ですって！　ということは、私より六歳も年下ということになるのですか。わあ、信じられん」

もうひとりはつとめて冷静さを装う。

「それはあなた、楊老師《ラオシー》はなにしろ状元《じょうげん》の才子ですからね。同じ進士出身とはいっても、私らとは氏素姓がちがうのですよ。末は軍機大臣か内閣大学士、いずれにしろ一品《いっぽん》の宰相に出世されるのはまちがいないのです」

楊は少しはにかむように笑い、副考官たちにも盃を勧めた。

「まあ、そんなことはどうでもいいじゃないですか。今宵はとても気持がよいのです。さ、ぐっとお飲み下さい」

人々は楊先生《ヤンシエンシヨン》もふつうの言葉をしゃべるのだと知って二度愕《おどろ》いた。それに、よく考えてみれば楊先生が「気持よい」などと口走るのは、実に気持の悪いことである。

「気持よい……と、申されますと？」

「はい。つい今しがたのことなのですが、私はとうとう、納得のいく答案にめぐり合ったのです」

おおっ、と三人はいっせいに声を上げた。

「なんと！　ついに楊君のおめがねに適った答案が現れたと」

正考官は心の底から喜んだ。きっと楊は、自分の命を受け入れたのだ、と思った。ここで彼の自尊心を傷つけてはならない。そうだ、彼はついにめぐり合ったのだ、と正考官は自分に言い聞かせた。

「して、それはどのような？」

楊はちびりと馴れぬ手付きで盃を舐《な》め、遠い地平を見はるかすような目をした。

「明朝、閣下の御前にも届くことでしょう。いやはやすばらしい大文章、あれこそ古今無双の答案です」

すでに採点を終えている二人の副考官たちには、それがどの答案をさしているのかすぐにわかった。彼らもまた今日、その硃巻《しゆかん》にほとほと感心し、最大限の評価を記したばかりであった。

「どのような内容なんだね、いったい」

部下たちは顔を見合わせ、余韻を分かち合うかのように肯く。

ふいにひとりが、心に刻みこまれた詩文の起句を口にした。

「……春の宵、濡れそぼちたる玻璃《はり》ごしの、君がかんばせ、薔薇のごと」

もうひとりがうっとりと続けた。

「名残《なご》んの雨のひとしずく、干ぬ間も待たで馬の嘶《な》く……」

楊先生は盃を胸に抱き寄せて、続く聯《れん》を謳《うた》った。

「悲しむなかれいつの日か、藍の衣で戻りなん、そが黒髪のあせぬ間に、そがほほえみの紅き間に……いいですなあ」

三人の副考官は揃って嘆息する。

正考官はたちまち頭の中に詩文を書きうかべた。たしかにすばらしい。選び抜かれた言葉は一言も忽《ゆるが》せにできぬほど正確で、しかも生き物のように感応し合っている。

詩文には題と音韻を指定するので、大方はいかにもそれらに当てはめたような出来になるものだが、これはちがう。あたかも全く無作為になした詩の、その題と韻とがたまさか出題に一致した——そんな感じがするのである。

目を閉じて、もういちど復唱してみる。いよいよすばらしい。鮮やかな色彩、細やかな余情、まるで恋人たちの別離の光景を、一幅《いっぷく》の画に収めたようだ。

しばらくそうしているうちに、詩人としても一家言のある老大官は暗い嫉妬を感じた。詩そのものの出来映えについてももちろんだが、どんな事物にも決して心を動かすまいと思われた楊喜楨《ヤンシーチエン》が別人のように陶然としていることが、嫉ましかった。楊が自分の忠告を受け容れたのではなく、本当にいい答案にめぐり逢ったのだということもはっきりした。

できることなら一文字でも推敲《すいこう》して、自分の詩才を誇りたいところだが、考えるだに動かす一字すらない。

ふと、歪んだ大官の頭にある疑いが生じた。

当代の挙人ごときにこれほどの詩を作る者がいるとはとうてい思えぬ。もしや作者は埋もれた古典の名作に精通しており、韻と題との一致したものを記憶の中から抜き出して書き写したのではなかろうか——。

もしそうだとしたら、これは楊喜楨の鼻柱を叩き折り、自分の詩才を知らしめる良い機会だ、と正考官は考えた。

「これは偽作ではないかね。たしか温庭筠の作だと思うが」

目を閉じたまま、正考官はやみくもに呟いた。

温庭筠は晩唐の天才詩人、若いころ科挙の試験中に周囲の代作を一手に引き受け、人類史上初の不正入試事件を起こしたといわれる人物である。

もちろん正考官は温庭筠の詩に通暁しているわけではない。そう言うことで楊喜楨のあわてふためくさまを見たかったのだ。

二人の副考官はたちまち動揺した。古典からの借り物と気付かずに合格評を与えたとなれば責任を問われ、教養も疑われる。第一、李杜や白居易ならいざ知らず、温庭筠などと言われても返す言葉は何もない。

しかし、楊先生《ヤンシエンシヨン》は少しもたじろがず、頰骨の高い、厳格な鷲のような顔を正考官に向けた。

「閣下、それは不正の譬《たと》えでありますか。それとも、温庭筠そのものの作とお疑いなのでありますか？」

正考官は狼狽した。しかしすぐに気を取り直して自らを励ました。いかに楊《ヤン》といえども、まさか温庭筠の膨大な詩作をすべて諳《そら》んじている筈《はず》はあるまい。

「いや、楊君。これは譬えではないよ。私の記憶ちがいでなければ、温庭筠の作に似たようなものがあったと思うのだがね。君は、わからんのか？」

二人の副考官はかたずを呑んで楊の表情を見守った。

楊喜楨《ヤンシーチェン》は左右を見渡し、心配することはない、とでも言いたげに軽く肯いてみせた。それからさほど考えるふうもなく、正対して答えた。

「閣下に申し上げます――欧陽修の『六一詩話』によれば、かつて北宋の梅堯臣が温庭筠の作を評して『羇愁旅思《きしゅうりょし》、豈《あ》に言外に見《あら》われざらんや』と言ったそうですが――ご存じでいらっしゃいますか」

「え？……いや……知っておる。知っておるとも」

「それでは、本答案の詩も羇愁旅思を謳《うた》った点で、温庭筠の作風に相似たると、閣下はお考えになったのでしょう。ちがいますか？」

「いや……ああ、そうだとも。温庭筠には旅の憂いを謳ったものが多いからな……」

正考官の答えはもはやあてずっぽうである。楊喜楨は笑いを嚙み殺すように薄い唇を歪めた。

「閣下には遠く及びませぬが、本官のつたない知識によれば、温庭筠はそのすべての詩作において、事物の客観的描写をすることにより、言外に潜む愁慮を知らしめるという明らかな特徴を有しております。すなわちこれが温庭筠の天才たるゆえんであります。もっとも、欧陽修もここまでは論じておりませぬが」

「君は、自分が欧陽修よりすぐれているとでも言いたいのかね」

もはやそんな批判の仕方しか、正考官には思いつかなかった。目の前の楊喜楨の体が次第に巨《おお》きく見えてきた。

「いや、そうとまでは申しませぬが、少くとも温庭筠については彼よりも私の方が詳しいと思います」

楊がこともなげに、その宋代の大文化人を「彼」と称したことは、人々をほとんどすくみ上がらせた。楊は続ける。

「事物の客観的描写により言外の愁慮を知らしめる温庭筠の作風は、むしろ手癖とも言うべき歴然たるところでありまして、この点は本答案の詩文には全く読みとれませぬ。すなわち恋人との別離と再会の希《ねが》いを明吟した本答案は、温庭筠の詩風とは明らかに意趣異なるものであります。強いてこの情の相似を挙ぐるとするなら、王維の『陽関の賦』により親しいものを感じまするが、王維はこのような色彩的感覚は持ち得ませぬ。ましてや李杜、白楽天においてをやであります。つまるところ万が一、本作が古典からの写しものであるとするなら、本官はただちに冠を脱ぎ、首を絞《くく》っておわび申し上げます」

正考官は唖然とした。自分の目論見など思い直すゆとりはなかった。そのうち目の前で不器用に盃を乾す楊喜楨《ヤンシーチェン》が、人間ではない何ものかに思えてきた。

「ああ、これはとんだ無駄口を叩きました。ささ、皆さん。ご酒を」

人々は箸や盃を握ったまま自失していた。

ひとりひとりに酌をしながら、楊喜楨はとどめを刺すようにこう言った。

「それにしてもすばらしい答案です。これこそ状元《じょうげん》たるにふさわしい。進士はあまた星のごとくにおりますが、科挙第一等の状元たる者、すべからく不動の星でなければなりませぬ。そう——あまたの星々を統《す》べる、すばらしき、昴《すばる》でなければ」

十

ひとけのない胡同《フートン》を泣きながら徨《さまよ》い歩くうちに、春児《チュンル》はすっかり帰り道を失った。

村に戻ってもと通りに糞拾いをしろ——文秀《ウェンシウ》の命令は春児にとって手ひどい裏切りに思えた。

白太太《パイタイタイ》の予言は少年の心の中で化物のように膨れ上り、すべての現実を被《おお》いつくしていた。都に上りさえすればいっさいの時間も経緯も飛びこして、自分はまっしぐらに老仏爺《ラオフオイエ》のお宝を頂戴するのだと、春児はそんなふうに考えていたのだった。

白太太が嘘をついたのだとは思わない。ただ、梁家《リアン》が村人たちから情容赦なく年貢を取り立てるように、自分の夢までもが文秀に奪われてしまったような気がしてならなかった。

試験は思いがけないほどうまく行ったのだろう。すべてが白太太の予言の通りになりそうだから、文秀は自分を遠ざけたのだと思う。

ちきしょう、ちきしょう、と独りごちながら、何があっても大地にあたるしかない村人たちのように、春児《チュンル》は体を抱きかかえ、地団駄を踏んで歩いた。

春児を泣かせるのは文秀《ウェンシウ》への恨みごとではない。行く手の闇に次々と思い泛《う》かぶ、貧しい家族の顔である。

父や大哥《ダァコオ》の痩せさらばえた死顔。熱にうかされる二哥《アルコオ》のうめき声。いずこへともなく旅立つ朝、凍てついた街道で自分を抱きしめた三哥《サンコオ》の厚い胸。そして不幸の正体にも気付かず、いつもにこにこと笑っている幼い妹。

母が日に何度も、溜息とともに言う口癖を春児は胸の中で呟いた。

（あァ、あァ、没法子《メイファーツ》だねえ——）

そう、どうしようもないのだ。生れついて不幸な人間が幸福になることなど、実はありえないのだ。

仮に、万に一つの幸運を天が授けたとしても、それはやはり母が夜なべして紡《つむ》ぐ糸のように、村人たちが汗水流して作った麦のように、ひとつかみの幸福な者の手で奪われてしまうに決まっているのだ。

母が呟くどうしようもない「没法子」の意味を、春児は初めて知った。

都の夜更《よふけ》は真冬のように寒い。南天に懸かった月の位置を頼りに帰り道を尋ねあぐねれば、複雑に入り組んだ胡同《フートン》はいよいよ春児を惑わせた。

ふと、闇を縫って美しい胡弓《こきゅう》の音色が聴こえてきた。

細く高く、嘆くような調べは、形あるもののように胡同の奥深くから流れてくる。

春児は立ち止まって耳を澄ませ、吸い寄せられるようにまた歩き出した。

路地が鉤《かぎ》の手に折れ曲がって、行き止まりかと見える崩れかけた煉瓦塀の下に、黒い人影があった。うち棄てられた荷車に腰を下ろして、その男はうっとりと身を揺らしながら胡弓を奏でているのだった。

聴き入る人などあるはずはなく、ましてや塀の内の住人も寝静まった夜更である。

春児は足音を忍ばせ、おそるおそる人影に近寄って行った。それは年老いた盲目の乞食であった。朽ちた荷車に片膝を立てて座り、綿入れの汚れた袖をたくし上げて弓弦《ゆづる》を操りながら、老人は澄みきった女のような声で唄った。

わがふるさとは　ひむがしの
　雪を頂く長白山《チャンパイシャン》
みおやはらから　打ちいでて
　いざ平らげん　天の賊

わがいさおしは　韃靼《タルタル》の
　風の染めたる旗なるぞ
紅　白　藍にまた黄色
　轡《くつわ》を並べ矛《ほこ》を挙げ
いざ滅ぼさん　民の仇

わが将帥は龍の裔《すえ》
　愛新覚羅《アイシンギョロ》の勇者なる
昴《すばる》を天に戴きて　その指し示す道のごと
　いざ勝ち征《ゆ》かん　人の敵

「昴、だって——」

春児《チュンル》は思わず声を出した。

老人は弓弦を弾く手をはたと止め、見えぬ目を闇に振り向けた。

「昴か？　——昴は富と力の星。世界を統《す》べる昴の星じゃよ」

　白太太《パイタイタイ》の予言そのままの言葉をいきなり耳にして、春児の体は凍《こご》えついた。

「おや、子供じゃな。まだ乳くさい匂いがするわい。年端《としは》もいかぬ子供が、こんな夜更にいったい何をしておる」

　春児はかたずを呑んで、ようやく答えた。

「道に迷っちまって……静海《チンハイ》の会館はどこ？　菜市口《ツァイシコウ》の近くなんだけど……」

　老人は胡弓を膝に置くと、痩せた首をからくりのように伸ばして春児に耳を向けた。

「盲《めし》いに道を訊く者がおるかね。それよりおぬし、昴がどうかしたか？」

「白太太に言われたんだよ。おいらには昴の星がついてるって。いつか都に上って、老仏爺《ラオフオイエ》様のお宝をそっくり戴けるんだって」

　ほう、と老人は身を引いて愕《おどろ》くふうをした。

　皺だらけの顔を月に向け、異様に垂れ下がった鼻の先から白い息を吐き出しながら、老人はいくども肯いた。

「白太太なら、わしも知っておるよ」

「えっ、ほんと。おじいさん」

「ああ、知っておるとも。その昔、咸豊帝の御代に宮中の易占をたてていた星読みじゃ。粛順《スーシュン》らの陰謀も、洋鬼子《ヤンクイヅ》たちの目論見《もくろみ》も、あやつはみごとに占《うらの》うた。老仏爺《ラオフオイエ》が今ああして無事におられるのも、みな白太太《パイタイタイ》のおかげじゃて——だが、あろうことか同治帝の早世を口にして、老仏爺の怒りを買った。誰しもわが子の命運ったなきを言われてはたまらぬわ。もちろん——その通りにはなったがの」

「やっぱり白太太のお告げは、みんな当たるんだね」

「ああ、当たるともさ。百発百中じゃ。しかしあの婆も、都を追われてからいったいどこで何をしているかと思いきや、こんな年端もいかぬ子供の命運を占っておったか……やれやれ、おたがい齢はとりたくないものじゃ」

春児《チュンル》は老人の足元に蹲《うずくま》って訊ねた。

「おじいさんは誰？　何で白太太のことを知ってるの。いま唄っていた歌は、いったい何なの？」

「誰でもよかろう。わしはごらんの通り、哀れな物乞いじゃわい。施しを頂戴するまでは、こうしていつまでも胡弓を弾き、歌を唄っておらねばならぬ。だが——どうやら今宵は誰も気に止めてはくれぬようじゃな」

春児は懐から巾着《きんちゃく》を取り出すと、銅貨を一枚、老人の膝の上に置いた。

「ねえ、教えてよ。今の歌は何なの？」

ふむ、と老人は銅貨を指先で探りながら答えた。

「畏れ多くも、真武大帝の御作になる歌じゃ。知っておろうが。本朝六代目の皇帝、高宗乾隆帝弘暦《ホンリィ》様じゃよ。聖祖康熙帝の御孫、世宗雍正帝の御子にあらせられるお方じゃ。北は外興安嶺からバイカル湖のほとり、西は新疆、西蔵《チベット》の彼方、ヒマラヤを越えて印度《インド》、ネパール、南は遥か緬甸《ビルマ》、越南《ベトナム》までも征せられ、みごと世界を手中にされた大いなる帝じゃ。在位六十年、その間、十戦してひとたびも敗れることのなかった偉大な天子《ティエンツ》じゃよ」

春児は息を詰めた。その名は白太太のお告げにもあった。自分と同じ昴《すばる》の星の下に生まれついた者が、かつて二人あったと。ひとりは秦の始皇帝、そしてもうひとりは本朝中興の天子、高宗乾隆帝である、と。

春児は銅貨をもう一枚とり出して、老人の掌に握らせた。

「おじいさんは誰なの。何でそんな歌を知っているの？」

「わしかね――」

と、老人は少しためらい、あたりにいちど聞き耳をたててから、春児の耳元に囁《ささや》いた。

「誰にも言ってはならんよ。わしがいまだにこうして生き永らえていると知られたなら、老仏爺《ラオフオイエ》に八つざきにされる。たとえ老仏爺が許しても、あの李蓮英《リイリエンイン》めは決して見のがしはせんからな」

「老仏爺が？　……あの、李蓮英様が？」

「そうじゃ。よいかね、わしの名は安徳海《アンドーハイ》。あの憎たらしい小李子《シャオリイツ》にとって代わられるまで、後宮《こうきゅう》の大総管《ダアツオンクワン》を務めていた、安徳海じゃよ」

「まさか……」

春児《チュンル》は月明りにしらじらと浮き上った老人の顔を見つめた。

「その、まさかじゃ。こんな嘘をついて何の得があるね」

「でも、大総管の安徳海は老仏爺の怒りに触れて死を賜わったって――」

「ほう、良く知っておるな。たしかにわしはこの通り腰を砕かれ、目をくり抜かれて殺されかけた。だが、刑吏はたまたまわしの差し出した懐《ふところ》の銀貨に目がくらんで、とどめを刺さずにおいた、というわけさ。以来わしは、こうして物乞いをするにもわざわざ人目を避けて、胡同《フートン》の片隅で昔に覚えた宮中の戯《ざ》れ歌を唄い、日々の糧《かて》としておるのじゃ。不自由な身じゃろう」

「でも、おかしいよ。李蓮英様は大金持で家来も大勢いる。だったら同じぐらい偉かったおじいさんが、なんでここまで落ちぶれちまうんだい」

「わしの家族や、息のかかった太監《タイチエン》たちはみなやつに殺された。邸も財産も、ことごとくやつに奪われた——やれやれ、それもこれもみなあの白太太《パイタイタイ》の言った通りになってしもうたわ。占いもここまで当たれば怖ろしいのを通り越して、まったく没《メイ》法子《ファーツ》じゃわい」

　老人と一緒に、春児も没法子の溜息をついた。

「白太太はおじいさんがこうなることも予言したんだね」

「うむ。まったく遠慮というものを知らぬ婆じゃ。だが、そう言われた当座はの、わしも五千人の宦官《ホアンクワン》を束ねる二品《にひん》の大総管じゃ。聞く耳は持たなんだよ。なにせ老仏爺様の第一のお気に入り、あの粛順《スーシュン》めの謀叛《むほん》を叩き潰して、ご褒美に杏色《あんずいろ》の轎《かご》と双眼の花翎《ホワリン》を賜った。その手柄は将軍栄禄《ロンルー》や恭親《クン》王奕訢《イーシン》殿下にもまさるものじゃった。そんな飛ぶ鳥も落とす勢いのわしが、なんでこの落魄《らくはく》の身を信じるね。ああ——そういえばあの杏色の轎は、今では小李子《シャオリイツ》が乗っておるとか」

　春児は李蓮英と出会ったことを口に出しかけて、すんでのところで言葉を変えた。

「いったい、白太太は何て言ったのさ」

「ふう。思い返すのも癪《しゃく》じゃが、婆め、たしかこう言いおった。『安大総管様、あなた様は年老いて闇の中に胡弓を弾き、道行く人から施しを受くる身になりましょうぞ』、となｏ　ほれ、まさに闇の中、一点の灯も目には入らぬわい」

老人は窪んだ眼窩《がんか》に人差指を当ててそう言った。とても大道芸の騙《かた》りだとは思えない。お道化《どけ》た声色まで、白太太《パイタイタイ》のそれと似ているのだ。

しばらく考えこむうちに、春児《チュンル》の胸に光が差しこんだ。

「ということは……おいらはやっぱり老仏爺《ラオフオイエ》のお宝をもらえるんだ」

老人は唇をひしゃげて笑いながら、春児の額を弓弦で叩いた。

「おお、おお。もらえるともさ。白太太の予言にまちがいがあろうか。賢そうな子じゃ、きっと末は進士に登第して立派な役人になるのじゃろう。さすれば杏色の轎も双眼の花翎《ホワリン》も、黒貂《くろてん》の毛皮も、みんなもらえる」

「ちがうちがう。そんなのじゃないよ。おいらがもらえるのは、そんなのじゃない」

「ほう、では何だろう——白太太は何と言ったんだね」

「全部さ。世界中の宝物は、全部おいらのものになるってさ」

笑いかけてあんぐりと口を開いたまま、老人は小さな体を反《そ》り返らせて天を仰いだ。

「全部、か。それは無理な相談だのう」

「どうしてさ」

「どうしてかと訊かれても困る。紫禁城《ツチンチョン》の財宝は無尽蔵じゃ。洋鬼子《ヤンクイヅ》どもが難癖つけて奪っても、とうてい奪い尽くせぬほどのものじゃよ。それを全部と言われれば、おまえが天子《ティエンヅ》様にとってかわるしかあるまいて。あの紫禁城ごとそっくり手に入れれば、それはまあ全部ということになる」

「でも、それじゃ謀叛《むほん》だよ。天子様にとってかわるなんて、大泥棒の李自成《リイヅチョン》みたいだ」

老人はおかしそうに声を殺して笑い、ふと真顔に返ると痩せた掌を伸ばして春児の袍《パオ》をまさぐった。

「おや。このなりは、とてもどこぞのおぼっちゃまとは思えん。だとするといよいよ話は怪しいの。進士となるには金がかかる。せめて役人にならねば、老仏爺のお宝にありつくことは叶わぬぞ」

「じゃあ白太太は、おいらにだけ嘘をついたのかい。天子様のお命まで占って、おじいさんがこうなることだってちゃんと当てたのに、何でおいらだけはずれるんだよ」

「まあ、そう怒るな」

と、老人は答をはぐらかすように胡弓を一節奏で、興の乗らぬままにまた弓を下ろした。それから気味悪く窪んだ眼窩を春児《チュンル》に据えて、低いしわがれ声を絞った。

「思い当たることが、ないではない」

春児は思い切って、巾着の銅貨をひとつかみ、老人の掌に握らせた。

「何だよそれ。ねえ、教えてくれよ」

老人は銅貨を一枚ずつ手探りながら、ぼろぼろの袍《パオ》の懐に収めた。

「――後宮の宦官《ホアンクワン》たちの間に昔から伝わる、こんな戯《ざ》れ歌がある。決して人に聞かれてはならぬ歌じゃ。不始末をやらかして打たれ、息も絶え絶えになったとき、ひそかにこれを唄えば命が助かると、そう言い伝えられておる。まあ、聞け」

老人は体を屈め、細く小さく胡弓を弾きながら秘曲を口ずさんだ。

万歳爺《ワンソイイエ》　万歳爺
哀れな奴才《ヌーツァイ》を　お許し下さい
広大無辺のみめぐみは
天に轟《とどろ》き　地にあまねき

万歳爺　万歳爺
奴才は　口がさけても申しませぬ
乾隆様のお匿《かく》しになった
あの龍玉《ロンユイ》のありかなど

「乾隆様の龍玉――？」

老人は再び胡弓を膝に置くと、もうためらうことは何もないというふうに、とつとつと語り始めた。

「そうじゃ。それはの、言い伝えによれば赤児の頭ほどもある金剛石だそうな。もちろん誰も見たことはないが、それこそが歴代皇帝のみしるしなのじゃ。つまり、黄帝から顓頊へ、顓頊から帝嚳へ、帝嚳から堯帝へ、堯帝から舜帝へ、舜帝から禹王へと譲られた、天下をしろしめす皇帝のしるしじゃ。満洲族の大ハーン、太祖努爾哈赤《ヌルハチ》は天の啓示を受けて長白山中《チャンパイシャン》に兵を挙げた。三皇五帝がかわるがわるハーンの馬前に立ち現れて、病み爛《ただ》れた明を滅ぼし、龍玉を己が手に収めよとお命じになったのじゃ」

老人は細い息を春児《チュンル》の耳元に吹きこむようにして語った。

「明国を滅ぼしたのは、大泥棒の李自成《リイツチヨン》じゃないの？」

「ふむ。李自成はたしかに明の崇禎帝をくびり殺した。じゃが、紫禁城《ツチンチヨン》のどこをどう探しても、天子《ティエンツ》のみしるし龍玉《ロンユイ》を見つけ出すことはできなんだ。そうこうするうちに韃靼《タルタル》の英雄、睿親王多爾袞《ドルゴン》に率いられた精強なる満洲八旗は、難攻不落の山海関を突破して怒濤のごとく都になだれこんだ。李自成は金銀の器物を数千両の塊《かたまり》に鋳潰し、紫禁城に火を放って陝西へと逃れた。やがて努爾哈赤《ヌルハチ》の孫、福臨順《フーリン》治帝が入城され、大清国の御代が始まったのじゃよ」

「ふうん……李自成はやっぱりただの大泥棒だったのか」

「その通り。金銀財宝などいくら奪っても天下に覇を唱えたことにはならぬ。天命なき李自成は決して皇帝のみしるしを手にすることはできぬのじゃ。天命とは、覇者の勝手な理屈ではない。まこと天の命、龍玉はその天命の権化《ごんげ》なのじゃよ。だからこそ李自成は、必死で城内を探し回った。我こそは天命を享《う》くる者であると、天子たるべき者なのだとの一心での。龍玉を探しあぐね、ついに城に火を放ったときの、あやつの絶望はいかばかりであったろう」

老人はむしろ李自成を哀れむように、枯木のような細く長い首をつき出して顎を振った。

「城内の隆宗門の扁額には、天命われにあらずと悟った李自成が、憾《うら》みをこめて馬上から射こんだ矢がいまだに刺さったままになっておる。もともと流賊の頭目とはいえ、万力の弓を引いた豪傑じゃ、矢は扁額から梁《はり》までも射通し、抜こうにも抜けぬ。まさに一矢を報いた、というところじゃろう」

「すげえや……どきどきすらあ。それで、その龍玉はいったいどこに行っちまったの？」

「言い伝えでは、景山の松の枝で自ら首を絞《くく》った明の崇禎帝は、落城に先立って御手ずから龍玉を乾清門外の照壁《チャオピー》に塗りこめたそうな。その壁は今も残っておるが、紫禁城の中では最も立派で美しい硃紅色《しゅこうしょく》の壁じゃ。帝にしてみれば、流賊の李自成ごときに天下を奪われてはならじとの一念じゃったろう。一族の子女に死を賜うたのち、わずか宦官《ホアンクワン》ひとりを伴って景山に登り、白松の枝で自らの首を絞った。龍玉の行方は誰も知らぬ。李自成がどこをどう探そうと、杳《よう》として見つからぬわけじゃ」

　そこで老人は、息を詰めて聞く春児の表情が見えるかのように、話しながらにこりと笑った。

「――おいら、もう銭はやれねえよ。まだ少しならあるけど、旅先で文なしになるわけにゃいかねえし……」

「そうか。それでは話はこれまで。あとはおまえの想像に任せよう」

「ちょっと、ちょっと待ってよ。そりゃあんまり切ないじゃねえか。生殺しだよ、まるで」

老人は声を上げて笑い、春児《チュンル》の頭に掌を置いた。

「仕方ないのう。では、おまけじゃ」

咳《しわぶ》いて声音を改め、老人は話の続きを始めた。

「さて、李自成《リイヅチョン》を追い払った大将軍多爾袞《ドルゴン》は太祖努爾哈赤《ヌルハチ》の第十四阿哥《アーゴ》、つまり亡き太宗皇太極《ホンタイジ》の弟君にあらせられる。もともとその武勇は兄帝を凌ぎ、将軍たちの尊崇を一身に集めておった。甥にあたる福臨《フーリン》順治帝はまだ六歳の幼な子、できうるならばこの機に自らの手で龍玉《ロンユイ》を握らんとの野心を抱いておった。三十二歳の男盛り、韃靼《タルタル》の英雄多爾袞にはもちろん天下をしろしめす知恵も力も十分にあったのじゃ。だが――これもやはり、城内をどう探したところで、龍玉のありかを見つけ出せなんだ。そうこうするうちに、礼《リー》親王代善《ダイシャン》、豫《ユ》親王多鐸《ドド》、英《イン》親王阿済格《アジゲ》ら錚々《そうそう》たる愛新覚羅《アイシンギョロ》の眷族《けんぞく》に護られて、幼帝福臨が入城した。福臨は葦毛《あしげ》の馬に跨《またが》り、黄金の甲冑《かっちゅう》に身を鎧《よろ》い、正黄旗の禁軍に奉じられて城に入った。もちろん満洲の野に生れた韃靼族の皇子《みこ》が、都に足を踏み入れるのはそれが初めてのことじゃ。しかも城は李自成軍に火を放たれて、見る影もなく焼け落ちておった。ところが——福臨は午門をくぐるや、やおら騎馬を先頭に進め、あたかも何ものかに導かれるかのように金水を渡り、三殿の焼け跡を通り過ぎて、乾清門の照壁《チヤオピー》の前で駒を止めたのじゃ。そこで、わずか六歳の御子は馬から下り、小さな体を地に投げ出して三跪九拝《さんききゅうはい》した。そして照壁に歩み寄ってうやうやしく両手を差し出すと、摩訶《まか》不思議、硃紅《しゅこう》色《しょく》の壁ががらりと崩れたとみるまに、七彩の光を放つ龍玉がその手に転がりこんだのじゃ。人々はみな恐懼《きょうく》して打ち伏し、ことに叔父の大将軍多爾袞は甲《かぶと》を脱ぎ、鎧《よろい》を解いて地に叩頭《こうとう》した。福臨は龍玉を小さな掌に抱き、高らかに中華の主として立つことを宣した。天命を戴いた愛新覚羅努爾哈赤の孫、順治皇帝はこうして新たな中原《ちゅうげん》の覇者となられたのじゃ」

　老人の話を聴きながら、春児はすっかり遠い昔の韃靼の皇子になり代わっていた。体が押しとどめようもなく慄《ふる》え出したのは寒さのせいではない。

「ということは……もしそのお宝を手に入れれば、おいらも天子《ティエンツ》様になれるの？」

「そういうことになる。もし白太太《パイタイタイ》がまことそう占《うらの》うたのなら、おまえは天命を負うた者、いずれ龍玉《ロンユイ》を手にすることとなろう」

「どこ、それはいま、どこにあるの？」

春児《チュンル》は老人の膝を摑んで揺すりたてた。

「決まっておろうが。龍玉は天子《ティエンヅ》のみしるし、今は皇上《ホアンシャン》陛下のお手元にある。あの紫禁城《ヅチンチヨン》の奥深くにの。それはばかりはいかな老仏爺《ラオフォイエ》様とて手はつけられぬ。中華の財物のことごとくを手にするというのは、龍玉を得て天下をおさめるという意味かも知れぬ。いや、どうしてもそうとしか思えぬわい。いやはや、おおごとじゃ、たいへんな子供に会うてしまった」

老人は身慄《みぶる》いをしながら、それ以上の関わりを避けるように、不自由な体を路上に滑り落とした。胡弓と弓とを背に負い、石畳の上を老人は両手でいざりながらゆるゆると進み出した。

「だが、待てよ――」

と、老人はしばらく行ってから、立ちすくむ春児を見返った。

「だとすると、今宵の因果はただごとではないの。このわしが、たまたまおまえと出会うはずはない。もしやこれは――いや、そんなはずがあろうか。今さらわしなぞが、天命の手引きをするなど……」

これはただの偶然ではない、と春児も思った。涯《はて》もなく広い都の、網の目のように張りめぐらされた胡同《フートン》の一隅で、かつて白太太《パイタイタイ》を知り、大総管《ダアツォンクワン》太監《タイチェン》まで務めた老人と自分とが、偶然にせよ出くわすはずはない。これもきっと天の決めたことなのだ。

「教えてよ、おじいさん。おいら、これからどうすりゃいいんだ」

胡同の闇に沈みかけながら、老人は唄うように答えた。

「さてな。金もない、つてもない、学問もないおのれが立身する方法か……それはただひとつしかあるまいて。この安徳海《アンドーハイ》や、あの李蓮英《リイリエンイン》のように、浄身《チンシエン》するしかあるまい」

浄身――畢五《ピイウー》の家のいまわしい光景が甦って、春児はにべもなく叫んだ。

「やだよ、そんなの。おいらあんな怖いことできやしねえ」

月かげに倒れた土塀の闇の中から、老人の声だけが響き返った。

「冗談じゃよ、ぼうず。男を捨ててまでも手に入れて悔いぬ宝など、この世にあろうものか」

十一

それから、どこをどう歩いたものか、気が付けば春児《チュンル》は、行き止まりの死胡同《スーフートン》の、夜をくり抜いたような丸い月亮門《ユエリャンメン》の前に立っていた。

声は四合院《スーホーユアン》の庭をめぐって響いた。畢五《ピィウー》の家には相変わらずどんよりとした瘴気《しょうき》が立ちこめている。

木蓮の枝にはおびただしい花が満開のまま腐っていた。

欞子窓《れんじまど》にいくつかの子供の顔が覗いた。

「親方に取りついでくれよ。聞きたいことがあるんだ」

子供たちの中に、あの愛らしい少年の顔はない。

石の上を走り回る足音がしたと思うと、やがて扉を開けて畢五の巨《おお》きな影が現れた。

「なんだ、史了《シーリアオ》の使いか。あいにくまだまだ仕事は終らねえ。そっちの都合で勝手に誘うなと言っておけ」

春児は石段の上に仁王立ちに立った畢五の足元に駆け寄って、とたんに立ちすくんだ。自分はいったい何を訊ねようとしているのだろう。

「どうした、べそかきやがって。俺を連れて帰らにゃ、旦那様に殴られるのか」

「そうじゃねえよ」

と、春児は見上げるほどの畢五の影の中で答えた。「親方、おいらを宦官《ホアンクワン》にしてくれろ」

言葉は春児の口から魔物のように滑り出た。

ふと畢五は、蔑《さげす》んだ目で春児を見くだし、皮の術衣をぎしぎしと軋ませて笑った。

「——おめえ、自分が何を言ってるのかわかってるのか。あ？」

「わかってる。でもおいらは、どうしても宦官になって、老仏爺《ラオフオイエ》様のところへ行かにゃならねえんだ」

畢五はいまいましげに咽《のど》を鳴らして、石の上に痰《たん》を吐いた。

「貧乏はもうこりごりってわけだな。史了は知ってるのか」

「少爺《シャオイエ》は関係ないよ。おいらは試験の間だけのお伴だもの。進士様になれば、どうせお払い箱なんだ」

「まあ、そりゃそうだろうがな」

と、畢五《ピイウー》は獲物を射すくめる蛇のような目で、春児《チュンル》の体をながめ渡した。

「銭は？　施術代に六両、役人どもへの賂《まいな》いとこっちの手間とで五十と四両。しめて六十両かかる」

「それは用立ててくれるって言ったじゃねえか。おいらのきんたまを質にして貸してくれるって」

「史了《シーリアオ》が保証人になるというんなら、それもやぶさかじゃねえ。あのガキどもだって、みんな人買いのやつらが保証人になってるんだ」

「少爺《シャオイエ》はだめだ。おいら、もう金輪際あの人の世話にゃなりたかねえ」

「それじゃやめときな。銭もねえ、後ろ楯もねえで浄身《チンシエン》しようなんて、どだい虫が良すぎる。小便が詰まってくたばりゃ、質草だって何の値打もあるめえ」

「おいら、我慢できるよ。痛えのなんかいくらだって――」

「いいや、それればかりじゃねえぞ。一生どこかの王府《ワンフー》の下働きじゃ借金どころか利息も返せねえ。運良くお城に入ったって、何人かに一人は叩き殺される。太監《タイチエン》なんてのは、そんなもんだ」

春児は立ち去ろうとする畢五の革の股引にすがりついた。

「そんなこと言わねえで頼むよ、親方。おいら叩き殺されるようなへまはしねえし、きっと李蓮英《リイリエンイン》みたいな大総管《ダアツォンクワン》になって、借金は返すから」

　畢五は鼻で笑って、まとわりつく春児を石段の下に蹴り落とした。

「銭だ。銭もってきやがれ。六十両、耳をそろえて持ってくりゃ立派な宦官《ホアンクワン》にしてやらあ」

　二度三度と、頭上に唾が吐きかけられた。

　破れ鐘《われがね》のように響く畢五の声は悪意に充ち満ちていた。地べたから見上げた巨大な姿は悪魔そのものだった。もうこれ以上は何ひとつ奪えるはずのない母の手から、一粒の種籾《たねもみ》までも、機《はた》にかかった織りかけの布までも情容赦なく取り上げて行く、税吏の姿そのものだった。

「おまえは鬼だ」

　と、春児は去りかける畢五の背に向かって言った。

　すると畢五は、まさに正体をあばかれたかのように振り返り、汗と脂にてらてらと光る顔をひきつらせて答えた。

「ああ、その通りだよ。俺ァ鬼だ。だがよ、だったらてめえらは何様だってんだ。地獄の鬼が亡者どもの希《ねが》いを聞き届けて、いってえどこが悪い」

　この男の顔だけは一生忘れまい、と春児は思った。

櫺子窓《れんじまど》につらなった子供たちは、にらみ合う二人をおずおずと見守っていた。目をそらし、怒りで星空をにじませながら春児《チュンル》は話を変えた。

「この間の子はどうしたのさ。ここで鞠《まり》をついていた、小さな子」

畢五《ピイウー》が窓に向くと、子供たちはいっせいに首をすくめた。

「――ああ、蘭琴《ランチン》なら中で唸ってるぜ。ちょうど今夜が峠だ、なんなら見舞ってやんな」

畢五が足を踏み鳴らして去ってしまってから、春児は闇の中で耳をそばだてた。

細い泣き声が廠子《チャンツ》の奥から聴こえていた。

「あいつ、やっちまったのか」

すっかり怯えきったひとつの顔が小声で答えた。

「蘭琴は器量がいいから、お役人の目に止まったんだよ。まだ小さいから無理だって、親方は言ってたんだけど……お見舞いしてやってよ、にいさん」

窓に並んだ子供らの顔が、たじろぐ春児を促した。

勇を鼓して廠子に歩み入ると、たちこめる薬の匂いが胸をうがった。子供たちは土間続きの戸口に並んで、口々に懇願した。

「お願いだよ、にいさん。蘭琴は一番ちっちゃいんだ。きっと我慢できないよ」

「行ってあげてよ」

「がんばれって、死んじゃだめだって、お願いだよ、にいさん」

飯炊きの老婆がかまどに蹲《うずくま》る厨《くりや》を抜け、慄《ふる》える膝を励ましながら石廊下を歩く。奇妙な造作の深い闇の奥から聴こえてくる蘭琴の声は今にも絶えそうに弱かった。

無人の牢室の前を抜けると、なかば開いた扉の中に、小さな少年の姿が見えた。灰色の病衣を着せられたまま、両手両足を寝台にくくられ、蘭琴は顎をつき上げて呻《うめ》いていた。

黒皮の片肌を脱いだ弟子が、水の入った酒壺《ジュウフ》を抱えて枕元に立っている。

「飲むか。飲んで楽になるか、蘭琴」

少年は目をきつく閉じて、乾いた唇を動かし、根の尽き果てたようにいちどはっきりと肯いた。

春児は病室に躍りこむと、弟子の手から酒壺を奪い取った。

「だめだ。そんなことしたら死んじまうじゃないか！」

蘭琴はうっすらと瞼をあけて、信じられぬものを見るように春児を認めた。

「がまんしろよ。ここで死んじまったら、何のために生れてきたかわからねえだろ。こんちきしょうって思って、頑張れよ」

蘭琴《ランチン》の目は、それでも水に向けられていた。春児《チュンル》は酒壺《ジュウフ》を後ろ手に隠した。

「おまえ、いいのか。もうここで旨《うま》い物をたくさん食ったから、それでいいのか。きれいななりさせてもらったから、それでもういいのか」

蘭琴は幼い唇の端を豆莢《まめさや》のように開いて泣き出した。涙はとうに枯れ果て、声も音にはならず、ただもみしだかれた人形のように蘭琴の顔は歪んだ。

「頑張れよ。人間がなんで十年ばっかしで死なにゃならねえんだ。それじゃ犬や猫と同じじゃねえか」

すると蘭琴は泣きながら、初めて少年の声で答えた。

「おいら、犬や猫とどこもちがわないもの。いいことなんて、ひとつもなかったもの。これからだってあるわけないや」

「ちがう、ちがう」

と、春児は酒壺を温床《オンドル》に投げ置いて、蘭琴の白い顔を抱いた。

「おまえは犬ころじゃねえ。人間なんだから、天子《ティエンツ》様と同じ人間なんだから」

「ばか言うなよ。おいらと天子様が同じわけないじゃないか」

「同じだって。みんな同じだって。糞もひりゃ屁もたれるんだ。ほら、こうして口をきいてるじゃないか。犬や猫が物を言うか、涙を流すか」

蘭琴はまるで自分が人間であることを確かめるようにいちど目を見開き、声をふりしぼって泣きわめいた。

「おいら、にいさんみたいに強かないもの。いつもいじめられてばかりで、きっとこれからだって、そうに決まってる」

春児は少年の乱れた唐子髷《からこまげ》を両手で握りしめ、額をつき合わせた。

「おいらはおまえをいじめない。いじめるやつがいたら、おいらが助けてやる。だから頑張れ。なあ、頑張れよ」

蘭琴ははしばみの実の形に目を細め、春児の顔を仰ぎ見た。くすん、と鼻を鳴らして眩《まぶ》しげにまたたき、蘭琴は呟いた。

「なんでにいさんはそんなにやさしいの。良く知りもしないのに、飴《あめ》もくれたし、抱いてくれたし」

「強い男はやさしいんだって、死んだあにきが言ってた。おいらの大哥《ダアコオ》は、ものすごく強かったんだ」

思わず口に出した言葉が春児の胸を詰まらせた。大哥が自分に乗り移って、小さな自分の顔を抱き寄せているような気分になった。

そうだ。村一番の餓鬼大将だった大哥《ダアコォ》は、誰にも負けなかった。村じゅうの子供らを引きつれて、いつも悪さばかりしていたけれど、決して弱い者をいじめることはなかった。そして打たれる子供を見れば、相手が親だろうが役人だろうが、がむしゃらにつっかかって行ったものだ。

むかし大哥がよくそうしてくれたように、春児《チュンル》は汚れた袍《パオ》の胸に、すっぽりと少年の顔を包みこんだ。

「泣くなよ、蘭琴《ランチン》。おいらがついてる」

死んだ兄の口ぶりを真似て、春児は力強くそう囁いた。

十二

梁家屯《リアンジアトン》のうららかな春の午後である。

運河に面した裏庭に卓と椅子を設け、梁大爺《リアンダアイェ》は何となくほのぼのとした春の気分で茶を喫していた。

琺瑯《ほうろう》の卓を囲むのは、昨年の郷試落第の痛手からもすっかり立ち直り、白皙《はくせき》の風貌もいや増した嫡男の文源《ウェンユアン》と、新たに天津府から招いた家庭教師である。

今度こそ鬼に金棒だと、梁大爺は誰にも真似のできない大枚の銀貨を積んで雇い入れた家庭教師の横顔に目を細めた。

これは本物だ。まずそのみてくれからしてがちがう。

なにしろかつては、あの名将曾国藩《ツォングオファン》の幕下《ばっか》にあって、知恵袋とまで称されていた人物である。学位こそ挙人のままだが、それも長年にわたって太平天国の討伐に挺身していたためで、進士に登第する学力がなかったからではない――と、彼自身は言っている。

暇《いとま》を乞うて故郷の天津に帰り、晴耕雨読の生活をしていたところを、三顧の礼を尽くして迎え入れたのであった。

少し顔色が青く、胃の具合が悪そうな痩せぎすだが、まるで諸葛亮のような顔だと、梁大爺《リァンダァイエ》は得心した。

そう思って瞳をめぐらせば、かたわらのわが子は心なしか不遇をかこつ若き劉備玄徳のようにも見えてくる。

もっとも諸葛孔明や劉備玄徳がどんな顔をしていたのかは知る由もないが。

文源《ウェンユァン》よ。真の英雄は幾多の挫折と失意の時を経て、世に出るものなのだ。大器は晩成す、との理《ことわり》もあるではないか。おまえはあの飲んだくれの、身のほど知らずの、何かのまちがいで会試にまで駒を進めた親不孝者の弟とは、そもそもできがちがうのだ——大爺は一月の間にようやく元の目方に戻った体を鷹揚《おうよう》に膨らませて、そう胸の中で呟いた。

「ところでおとうさん。史了《シーリァオ》のやつ、いったいどこで何をしているんでしょうね」

弟とは全然ちがう正確で上品な北京官語を操って、文源は訊ねる。

そのことは今さら考えたくもない、と父は思った。

「ああ、おまえが気にすることではないよ。おとついの発榜《はっぽう》を見て、あいつもやっと己れの愚かしさを思い知ったことだろう。おおかた今ごろは会館にも居心地が悪くなって、反省しつつ家路をたどっているにちがいない」

「あいつが反省などするものですか。きっと前門《チェンメン》あたりのいかがわしい場所で、やけ酒でもくらっていますよ」

「うむ、そうかも知れん。やけを起こして、遊俠の徒に身を落とされても困るな。よし、明日にでも人をやって連れ戻すとしよう」

すでに事情を知らされている家庭教師が、瘦せぎすの顔を上げて言った。

「さよう。遊俠の輩《やから》に加わるならまだしも、もっと怪しい連中の仲間に入りでもしたら大ごとでござる。近ごろ都では科挙くずれのやぶれかぶれどもが、憲法制定だの国会開設だの、壮士を気取って徒党を組んでおるとか。洋鬼子《ヤンクイヅ》どもの手先になってわけのわからん救国運動とやらに加わりでもしたら、それこそご当家にとって末代までの禍根を残しましょうぞ」

さすが曾《ツォング》国藩《オファアン》の幕僚ともなると言うことがちがう、と大爺は感心した。

しかし案ずるには及ばない。あの飲んだくれを相手にするほど、革命家たちも暇ではあるまい。

「ともあれ、やつも挙人のはしくれです。おとうさんもまだ隠居なされるには早いし、とりあえずは県城の役人にでもして、がっちりと家運を盛り立てれば良いのです。ねえ、それがいいでしょう、おとうさん。私が進士になって国を動かし、史了《シーリアオ》とおとうさんが郷土の発展に心をくだく。なんとすばらしい一族ではありませんか」

息子の提案に、父と家庭教師は手を打って喜んだ。

と、そのとき——運河の対岸を、かけ声も荒々しく一頭の早馬が疾駆してきた。馬上の使者は紅色の頭巾を冠っており、その背にはやはり紅色の旗が炎のようにひらめいている。

「おや、何だろうね——」

畑を耕す者は鍬《くわ》をふるう手を休め、舟をあやつる者は櫓《ろ》を漕ぐ手を止めて、時ならぬ早馬を見つめている。

使者は梁《リアン》家の門に至る石橋の渡り口までできて、運河のほとりの茶席に気付き、駒をいさめた。鞭を頭上で振り回しながら、使者は叫んだ。

「考得上《カオダシャン》！　梁大爺《リアンダアイエ》！」

合格でござるぞ、とたしかに使者は言った。

「那《ナア》？」

なんだって、と梁大爺は耳に手をあてて問い返した。聴こえなかったわけではないのだが、折から訊き返さぬわけにはいかぬ言葉だ。

使者は落ち着き払った人々の様子に拍子抜けして、いちど咳払いをしてから両手を口に添えてまた怒鳴った。

「考中了《カオチユンラ》！　考《カオ》・中《チユン》・了《ラ》！」

うかったんだよ。うかったんだ。

三人は同時に腰を浮かせ、異口同音の声を揃えた。

「是誰《シイシユイ》？」

しばらくの間、うららかな田園風景は絵のように止まった。

「……誰がって、お宅のぼっちゃんですよ。文秀《ウエンシウ》様がみごと会試に合格なされたと、けさがた都の会館から報せが参りました。おめでとうございます！」

三人は中腰のまま、おそるおそる顔を見合わせた。

「聞いたか、文源《ウエンユアン》……史了のやつが、合格したそうだ」

梁大爺はようやくそう言って、ごくりと唾を呑んだ。文源も家庭教師も、ぼんやりと佇《たたず》んだまま対岸の使者を見つめている。

「ええと、どうなるのだ。これからあやつは」

みるみる青ざめる梁大爺の腕を支えながら、家庭教師が答えた。

「発榜《はっぽう》がおとついだとすると、きょう明日にも覆試がございまして——これはまあ簡単な再試験でござるから、心配はありません」

「心配するとかしないとか、そういうことではない。で、その次は？」

「はい。そう、五日ほどの後には城内保和殿における殿試に臨まれることとなりましょう」

「なんと。つまり、あやつが皇帝陛下臨御の最終試験に向かう、と」

「さよう。しかし殿試は合格順位を決めるようなものでござりますから、文秀《ウェンシウ》様はすでに進士に登第なされたも同じ、ということになり申す」

河岸の葦原《あしはら》がざわりと風に薙《な》がれ、強いめまいに襲われた梁《リアン》大爺《ダアイエ》は琺瑯《ほうろう》の卓を握って踏みこたえた。

「史了《シーリアオ》めが、進士！　あの文秀が、科挙登第！」

そう叫んだなり、梁大爺は卓を抱えたままもろともに倒れた。

「考得上《カオダシャン》、梁《リアン》 文秀《ウエンシウ》 少爺《シャオイエ》！　考中了《カオチユンラ》！　考中了《カオチユンラ》！」

使者が雄叫びを上げながら鞭をふるうと、邸の内外から喚声が起こった。

「父上、お気をたしかに」

文源《ウェンユアン》の膝に抱き起こされ、喚声を夢見ごこちで聴きながら、梁大爺は父や祖父や曾祖父や、ことごとく科挙に挑んでそれをなしとげられなかった一族の人々の顔を、ひとつひとつ思い泛《う》かべた。

「進士、登第じゃ……」

梁大爺は慄《ふる》える指を天に向け、男子が出生したとき、銅貨に鋳こんで悲願とする「進士登第」の四文字を、まっさおな空の高みに書いた。

礼部衙門《がもん》の前の綵亭《さいてい》に自分の氏名が貼り出されてからというもの、文秀の身辺はにわかにあわただしくなった。

ほとんどの挙人たちが旗を巻いてすごすごと帰郷する中で、わずか三百名の合格者の周囲には、今後の栄達にあやかろうとする新たな人々が集まり始めた。地方会館街の一角はむしろ以前にも増して騒々しくなっていた。

たいへんな壮挙をなしとげた、ということはわかるのだが、それを実感するよりも、周囲に降って湧いた騒々しさと掌《てのひら》を返したような人々の扱いが、文秀にはたまらなかった。もともと風聞というものについてはいっさい意に介さぬたちである。かつての悪評と同様、進士様への讃辞もまた、彼にとっては厄介な風聞に過ぎなかった。

父も従者たちも、発榜《はつぽう》など見るまでもないと帰ってしまっていた。ただひとり見張り役として残された春児《チュンル》とも、けんか別れしたあの晩以来、口を利いていない。いったい何がそうまで気に障ったのか、春児は厩《うまや》にこもったままなのである。お愛想のひとつもなく、言いつけられた用事だけを済ますと、またぷいと厩に戻ってしまう。

発榜の結果も、まっさきに春児に知らせたのだが、「おめでとう少爺《シャオイエ》。よかったね、せいぜい出世しておくれよ」、などと笑いもせずに言うばかりなのであった。

在京の官吏や同郷出身者たちは、夜となく昼となく、ひっきりなしに訪ねてきた。しまいには彼らの知り合いであるという、まったく見知らぬ人物までもが、たいそうな貢ぎ物を持ってやってくる始末である。

こうなると従者のいないことは不自由だった。しかもそれらの接待の合間を縫って覆試を受け、礼部の主催する宴にも出席し、きたるべき殿試の予習もしなければならない。そこでとうとう音を上げて、殿試を了《お》えるまではいっさいの面会者は追い返すようにと、春児にきつく命じた。

それは陰暦四月二十日、殿試の前夜のことである。

会館の人々もあらかた寝静まった夜更《よふけ》になって、春児が部屋の扉を叩いた。

「少爺。お客さんだよ」

「誰にも会わんと言ったろう。しかもこんな夜遅くに、いったい誰だ」

「そう言ったんだけど、とても偉そうな人だから」

「偉そうな人？」

「うん。帽子に孔雀の羽と、青い宝石を付けてる。こっそり門の前に轎《かご》をおろして、ひとりで入ってきたんだ」

藍色の宝冠といえば、三品の大官である。

はて、同郷の先輩でそれほど出世している者はいないし、いったい誰であろうと、いちおう身づくろいをし、酔いざましに顔を洗って文秀《ウエンシウ》は庭に出た。

下弦の月が白い石の庭を舞台のように照らし出す中に、立派な朝服を着た男が立っていた。たしかに青い宝玉の入った冠を戴いている。

さては物怪《もののけ》か、と文秀は間を置いて向き合ったまま身構えた。

月に照らされた横顔は華麗な朝服にはふさわしからぬほど若く見え、またふと瞳をめぐらせたはずみに、ひどく老成しても見えた。

この捉えどころのない表情は、一途に学問を続けてきた者に共通する、いわゆる浮世ばなれした顔である。

男はゆっくりと文秀《ウェンシウ》の姿を眺め渡した。

誰かと訊くことは憚《はばか》られる。そうかと言って、得体の知れぬ真夜中の訪問者に、膝を折って礼をするいわれはない。

しばらく見つめ合ううちに、どうやらこの男は自分の悪評を耳にして、殿試の前にひとめ品定めをしておこうと出向いてきたにちがいない、という気がしてきた。礼部の役人か、試験官の一人か、いずれにしろ万が一皇帝の前で粗相があってはならじと、夜陰に紛れてやってきたのだろう。

「どういうご用向きですか」

文秀は名を訊ねるより先にまず訊いた。

受験生と試験官との接触など、もちろん規則違反である。だとすると、名乗ることもできず、訪問の理由も言えぬはずのこの男は、いったいどのようにして自分の本性を探るつもりなのだろうか。

男はじっと文秀に見入ったまま、ふいに眉根に深い皺をよせた。そしてまったく唐突に、高貴な北京語でこう口ずさんだ。

「銀台　金闕《きんけつ》　夕べに沈々たり
独り宿し　相思うて　翰林《ハンリン》にあり」

——白居易の詩である。つまり、明日の殿試の準備のために宮中に宿直していたのだが、思うところあってやってきたのだ——いささか面くらいながらも、文秀は歌に託された来意を読みとった。

これはただ者ではない。やはりこの男は、自分を試している。

じっと射すくめるように文秀を見つめる顔は、返答の如何《いかん》によっては皇帝陛下の御前に出すわけにはいかぬぞ、とでも言いたげである。

文秀は解答を模索し、いくつか思い泛《う》かんだ詩文の中から、李白の一篇を選んで詠《よ》み返した。

「我酔うて眠らんと欲す　卿《きみ》且《しば》らく去れ
明朝　意有《あ》らば、琴を抱いて来たれ」

——失敬なやつだ、明日殿試の席で堂々と会おうじゃないか、と言ったつもりである。

ほう、と男は思いもかけぬ答を聞いたというふうに息をついた。そしてまたすぐに、白居易の一聯《れん》を畳みかけてきた。

「猶《な》お恐る　清光を同じく見ざることを
江陵は卑湿にして　秋陰足《おお》ければ」

——さあどうだ、とでもいうように男は薄い唇の端で微笑した。

つまり、おぬしの答案は実に良くできてはいるが、悪い噂もまた伝え聞いている。ために翌る殿試において十分な評価が与えられぬことを私は恐れている。品行を新たにし、用心めされよ、というほどの意味か。

文秀《ウエンシウ》は微笑み返し、たちまちこれしかないと思った李白の「清平調詞」の聯を詠んだ。

「若《も》し群玉山頭に見るに非ずんば
会《かなら》ず瑶台《ようだい》の月の下に向《おい》て逢わん」

——群玉山、瑶台はともに仙界にあるという山と建物である。

ご心配めさるな、必ずや実力を発揮して、あなたとは紫禁城《ヅチンチヨン》の月の下で相まみえましょうぞ——詩に寄せて、文秀はそう答えた。

はたして男は、意を得たりというふうにいくども肯き、やおら踵《きびす》を返すと門から出て行ってしまった。

轎《かご》の軋みが聴こえ、足音を忍ばせた行列が去って行く気配がした。あとには男の服に薫《た》きしめた雅びな香が残った。

見送りに出た春児《チユンル》が戻ってきた。掌に握った銀貨を見せて、久しぶりの笑顔を向ける。

「駄賃をもらっちまったよ。こんなにたくさん」

「ちゃんとお礼を言ったか」

「うん。そしたらあの人、おいらの頭をなでてくれた。ぼうや、ご主人に伝えてくれますか、楊《ヤン》は心からあなたをお待ちしております、ってさ」

「楊――楊喜楨《ヤンシーチエン》！」

文秀は門外に駆け出した。月明りの胡同《フートン》を、行列はしずしずと遠ざかっていた。

文秀は椅子轎《いすかご》に追いすがって跪《ひざまず》いた。

「ご無礼を致しました。名高い楊喜楨老師とはつゆ知らず――」

行列を止めると、楊喜楨は口元に痩せた掌を当て、大声を出すなというふりをした。轎を下ろし、返す手でそっと文秀を招く。

にじり寄った文秀の顔に口を近付けて、楊はいきなりこう囁いた。

「もう己れを繕《つくろ》うのはやめたまえ」

胸を鷲掴みにされたような気がして、文秀は楊の顔を見つめた。

「君はもう、己れ自身も、周囲の誰をも、たばかる必要はない」

「私は、己れを偽ってなどおりませぬ。おおせられる言葉の意味がわかりませぬ」

楊喜槙《ヤンシーチエン》は胡同《フートン》の月を見上げて、微《かす》かに笑った。

「君ほどの学問を積んだ人間が、偏屈であろうはずはない。事情は知らぬが、つまらぬ芝居はもうこれきりにしたまえよ」

楊はやさしく囁いているだけであるのに、その言葉には刃物のような鋭利さがあった。まるで熟した桃の皮でも剝くように、文秀《ウエンシウ》の心から偽りの人格がはがれ落ちた。それは物心ついたときからそうと定められ、いつの間にか自分自身にも正贋《せいがん》がわからなくなっている、偏屈な、当て馬の仮面だった。

父や兄の顔が、自分だけに鞭《むち》をふるう家庭教師たちの顔が、ひとつひとつ思い泛《う》かび、消えて行った。

大学者の澄んだまなざしに射すくめられて、文秀は膝立ったまま俯《うつむ》いた。自身の正体さえ教えてくれる、本物の師に出会ったのだと思った。

「ありがとうございます……」

言わねばならぬことがあった。自分のありかをついに教えてくれた恩師に対して、たとえ生涯をこの一瞬に反古《ほご》としたとしても、言っておかねばならぬことがあった。

「楊老爺《ヤンラオイエ》に申し上げます。どうかお聞き下さい」

「何だね」

「私は——私は、換巻をなしました。そのことを私は、奇蹟が起きたのだと、見えざる力が私に加担したのだと自身に言いきかせてきました。しかし、それは良心への偽りにすぎませぬ。私は会試頭場《とうじょう》の夜、他人の答案を剽窃《ひょうせつ》いたしました。換巻の大罪を犯しました」

楊喜楨はしばらくの間、慈愛に満ちた瞳で文秀を見つめた。それから、いささかの愕《おどろ》くふうもなく、きっぱりと呟いた。

「そのようなことは、あるはずがない」

「いえ——」

「あるはずがないと申しておる。君ほどの学問を積んだ者が、換巻の不正などをなすはずがない」

楊師は自分の告白を聞き流すつもりなのだろうか——いや、ちがう。師は思いもかけぬ真実を自分に知らしめようとしている。

楊喜楨は微笑をたたえながら、さらに言った。

「それは、ままあることだよ。会試の夜は誰もが狂うておる。自分の人生の悲喜のこもごもが、すべて頭場の夜に収斂《しゅうれん》する。努力した者ほど、艱難《かんなん》を重ねた者ほど、夢と現の区別さえ定かならぬ狂気に陥る。わかるかね、梁君。君が換巻と信じた出来事は、実は君自身のたゆまぬ精進がもたらした幻想だ」

「いえ、しかし――」

文秀《ウェンシウ》の抗《あらが》いをよそに、楊《ヤン》は轎を進めるよう命じた。

「私はいやしくも孔子様の弟子だ。噓は言わぬ。実は私自身も会試頭場の夜、同じ経験をしておる。そして長いこと、翰林院《ハンリンユアン》の老師にそれはままある現象なのだと教えられるまで、思い悩んでいた。少くともその出来事は、君が私と同じほどの努力家であることの証《あか》しだよ。梁君――必ずや瑶台《ようだい》の月の下にて会おうぞ。君が私の考えていた通りの人物であったことを、嬉しく思う」

辻を曲がるとき、楊喜楨《ヤンシーチエン》は椅子轎の上で振り向きもせず片手を挙げた。

十三

長い科挙試験の大団円である殿試は、試験というよりもむしろ荘厳な儀式である。

読書人階級の男児として生れた者のおよそすべてが目ざす士大夫《したいふ》への道のきわみに、瑠璃色《るりいろ》の保和殿は聳《そび》え立っていた。

四月二十一日、殿試当日の空は晴れ渡っていた。この季節に都の空を被《おお》う黄塵《こうじん》は一片も見当らず、染め上げたように豁《ひら》かれたその青さは、まるで秋天の色である。天が諸君らの壮途を賞《め》でているのだと、集合した午門の前で述べられた礼部官の言葉に、誰もがそうにちがいないと考えた。

殿試に臨む者――「貢士」とよばれる選りすぐりの会試及第者たちはそこから二手に分かれて金水橋を渡り、東西の昭徳門と貞度門から宮中三殿へと向かう。

太和殿、中和殿をそれぞれ左右に見ながら、やがて巨大な保和殿の龍陛《りゅうへい》の下に至り、二手の列は再び合流して整列をおえる。

ほどなく、三重の欄干に囲まれた殿上に、宰相たる内閣大学士が現れた。

一品《いっぴん》官の宰相が足元の貢士たちに礼を求めず、背を向けたままでいるのは、宮殿の奥に彼よりさらに高貴なひとりの人物がいるからである。

大理石の敷石に跪《ひざまず》いたまま、そのことに気付いた文秀《ウェンシウ》の体はこわばった。

保和殿の内陣は黄色い布で被《おお》われている。

宰相が布の裾に蹲《うずくま》ると、突然あたりの緊張が極限を迎えたように、華やかな奏楽が鳴った。被いが左右に引かれ、黄金の玉座に腰を据えた光緒帝が姿を現した。

文秀が天子《ティエンツ》を目撃したのは、ほんの一瞬のことである。たちまち顔を伏せ、三《さん》跪《き》九叩頭《きゅうこうとう》の礼をする間にも、玉座を盗み見る勇気が文秀にはなかった。

三度ひれ伏し、九回額を地にこすりつけて再び立ち上がったとき、もうそこにはもと通りに黄色い布がかけられていた。

しかし文秀はたしかに、天命により世界をしろしめす中華の天子、大清帝国皇帝の姿を見たのであった。

それは思いもよらずに若い、十五、六歳ほどの少年であった。おびただしい刺繡を施した黄色の龍袍《ロンパオ》を身にまとい、大粒の真珠をつらねた頸飾《くびかざ》りをかけ、黒貂《くろてん》の肩掛に赤い冠を戴いた、人形のように小さな顔の少年であった。

御前からにじり退がると、宰相は西の軒下に侍る礼部尚書に、皇帝から下賜された包みを授けた。

三百人の貢士は列を整え、左右の階段から殿内に導き入れられた。手早く取りかたづけられた黄布のうちには、もはや天子の姿はなかった。

玉座をめぐって、ぎっしりと机が並べられている。番号を記した席につくと、物々しい正装の鑾儀衛《らんぎえい》の兵士が、それぞれの文具を捧げ持ってきた。すでに進士の称号が確定的である彼ら貢士に対しては、会試のときとはうって変わった敬意が払われた。

礼部の大官が机の間をめぐって歩く。と、そのうちの一人が、冥黙する文秀のかたわらに立ち止まった。

「どうかね。瑶台《ようだい》に登った気分は」

首を動かさずに、楊喜楨《ヤンシーチェン》は呟いた。

「秋陰はいっこうに感じませぬ」

文秀も正面を見据えたまま答えた。

「好《ハオ》。それはけっこうだ」

楊はすり足で去って行った。

礼と実との究極の形である殿試は、科挙の掉尾《ちょうび》を飾るにふさわしい荘厳さの中で、その日の日没まで行われた。

出題はおよそ千字にのぼる長文の策論が一題のみである。

皇帝から下賜されたものであるから、設問は勅語の形式を踏む。たとえばその冒頭は「朕惟《ちんおも》うに」で始まり、提起する政策に対して家臣たる貢士の意見を求めるのである。

これに対し答案は必ず「臣対臣聞」——お答え申し上げます、臣の聞き及びますところでは——という一文から書き出さねばならない。そして少くとも設問の字数一千字を越える解答を記し、末尾を必ず「臣謹対」——以上、謹《つつし》んでお答え申し上げます——という書式でしめくくるのである。

尊い皇帝の下問に対しての奉答であるから、そのほかにも多くの決まりごとがある。

まず答案用紙の上三格を空欄にして書き始め、皇帝の所有にかかる「国」「都」「殿」「廷」などの言葉は一格を上に突出させて書く。

「皇帝」「聖懐」「制策」などの、皇帝そのものの存在や意思にかかわる言葉は、同様に二格を上げて記す。

さらに「祖宗《ツツオン》」や「皇太后《ホアンタイホウ》」「先帝」などの言葉は、三格を上げ、一字を欄外に突出させる。

こうした書式を「擡頭《たいとう》」という。

またこの擡頭に際しては、その前行の末尾に空白を作らぬよう工夫しなければならない。常に字数を計算し、「也」や「矣」などの助辞を駆使して行を埋め、擡頭の敬語がちょうど次の行頭に現れるようにする。

この前行をぎっしりと最後まで埋めることを「徹底」と呼ぶ。

決しておざなりの形式ではない、語り尽くせぬ敬意を表現するために、ぎっしりと徹底させたのち一挙に擡頭するのである。

さらに、擡頭は多すぎても少なすぎてもならず、冒頭より数えて五行目と七行目、または九行目と十一行目に出現するのが、最も巧みな文章とされる。

こうして一面に十二行、一行二十四字、合計八面の答案用紙を経文のように空白のない文章で埋める。しかも伝統的な八股文《はっこぶん》の文体を損うことなく、上奏文としての礼儀も全うし、もちろん古今の歴史事実を十分に盛りこんだ政策論を展開する。

まさしく文章学のきわみ、神業ともいうべき大答案である。

日が傾きかける時刻になっても、殿上をうめた貢士たちの中に、立ち上がる者はいなかった。

空気の軋むほどの緊張した時が流れて行く。

それも、この殿試が合否を決めるものではなく、登第の序列を定めるものであるからだ。同じ進士とはいえ、上位の者は中央官界を歩み、下位の者は地方官として辺境の任地に赴かねばならない。当然、官吏としての一生も、この殿試の出来ばえによって決定されるのである。


――臣は末学にして新進ながら忌諱《きい》するを識《し》らず、陛下の宸厳《しんげん》を冒し奉ること恐懼《きょうく》に勝《た》えず。以上御下問の策論につき、臣、謹《つつし》んで対《こた》え奉る。


梁《リアン》文秀《ウエンシウ》は長い答案の末尾を書式通りの「臣謹対」と書き結んだ。

いちど読み返し、それが一字一句も揺るぎようのない完璧な答案であると思ったとたん、文秀の体からあらゆる力が脱けた。

すべては終ったのだった。自分がこれから歩み出す約束された人生など、物語の枕の中に蔵《しま》われた幻であるような気がした。

幼い日から泣こうがわめこうが鞭をふるわれ、まるで騾馬《らば》のように黙々と歩み続けてきた進士への道は、今ついに終着したのであった。満足感も達成感もなく、まして一片の栄光すら見出すこともなく、ただ全てが終ったとしか実感することはできなかった。

筆を擱《お》き、茫々《ぼうぼう》とした心の闇の中で、文秀は目を閉じた。

すると、まっしろになった瞼の裏に、ひとつまたひとつ、小さな文字が這い出してきた。

初めに浮き上がったものは「一」の字である。続いて「十」。そして「天」「玄」「地」「黄」と、それらは数珠つなぎの「千字文」と「百家姓」のお手本の順に、瞼の裏をうずめて行った。

さらにそれらの隙間に、「楚辞《そじ》」と「蒙求《もうぎゅう》」の文字が湧き出し、やがて「四書」と「五経」の活字が溢れ出た。

妄想を振り払って立ち上がると、文秀はまっさきに答案を提出した。

玉座の脇に設けられた閲巻大臣の机に八枚の答案とその下書きを併せて捧げ置き、あとずさって殿を下った。それをしおに、何人かの貢士たちが席を立った。西日にあかあかと照らし出された保和殿の内陣は、にわかに動き始めた。

殿上から見下す広場に人影はなく、ただ波のようにつらなる瑠璃の甍《いらか》が、入日を照り返しているばかりである。

ふしぎな黄金色《こがねいろ》の世界に文秀《ウエンシウ》は歩みこんだ。階《きざはし》を下り、朝にたどった西側の径路を歩く。石の上ににかわを撒《ま》いたように、足が重かった。いつのまにか、所持品を持った兵士が影のようにつき従っていた。

広場を隔てた東の端にも、同じように冠を傾け、藍衣の肩を落とした貢士たちが歩き始めていた。誰もが時おり目を上げて、いっこうに近づかぬ行手の殿を仰ぎ見ている。

文秀は立ち止まって、赤光《しゃっこう》に被われた空を見渡した。

すべては終ったのだ——今いちど改めてそう考えると、心をうめつくした文字の洪水を割って、ふいに懐かしい声が耳を搏《う》った。

(人の初め、性はもと善なり
性は相近く、習い相遠し)

たしかに、そう聴こえた。

「媽媽《マアマア》——」

文秀は愕《おどろ》いて瞳をめぐらし、いもせぬ母の姿を探した。

「どうなされた」、と兵士が訊ねた。

「いえ、べつに。ちょっと空耳がしたものですから」

するとたくましい壮年の兵は、髭面を綻《ほころ》ばせて笑った。

「よくおいでになります。拙者《せっしゃ》が以前お伴をした貢士の方も、やはりこのあたりで立ち止まって、母御の名を呟かれました」

「はあ……そうですか」

再び力なく歩み出す文秀の背に寄り添いながら、兵はあたりを憚《はばか》る小声で訊ねた。

「拙者のごとき武骨者にはわかりませんな。なぜ皆さんの心に泛《う》かぶのが父ではなく、母御であるのか」

「さあ、なぜでしょうね」

「皆さんに学問を授けたのは、母御ではありますまい」

「それはそうですけど——」

と、文秀はふしぎそうに顔を覗きこむ兵士に向かって、思いついたことを言った。

「たとえばあなたが戦に出て、もはやこれまでと覚悟を決めたとき、心に泛かぶのはあなたに弓矢を教えた父上の顔ではありますまい」

兵は歩きながら考え、疲れた溜息をついた。

「なるほど……そうかも知れませんな。何だか損をしたような気がします。拙者も倅《せがれ》には毎日のように弓矢を教えておりますから」

母の声は耳から去らなかった。

（人の初め、性はもと善なり
　性は相近く、習い相遠し）

言葉の意味をたぐるほどに、文秀《ウェンシシウ》の胸は冥《くら》くなった。それはいつか遠い昔、耳元に聴いた母の訓《おし》えにちがいなかった。

いったいいつのことだったろう。喚《よ》び起こそうとする記憶の底から、またひとつ母の声が聴こえた。

（才は以て非を飾るに足る――わかりますか、史了《シーリアオ》。学問はあなたのどんないけないところも、すべて被いかくしてくれるのよ）

小さな自分の顔を胸元から抱き起こしてそう言った母の、たおやかな微笑が甦った。

文秀の生母は「朱妾《チュヌ》」と呼ばれた美しい人であった。江南の貧しい村から梁家《リアン》に婢《はしため》として買われ、やがて父の種を宿し、文秀が千字文を習い始めたころ、はたちそこその若さで死んだ。

母はその出自と若さのために、終生を婢に甘んじた。文秀は乳離れをすると義母の手に渡り、父がそう呼ぶのを真似て、生母のことを「朱妾」と呼びつけにした。「朱《ヂュ》」は母の姓であった。

ことのなりゆきを知らされていない文秀にとって、彼女は他の使用人とどこか印象のちがう、ふしぎな存在だった。妾と呼ばれながら、第二夫人として遇されることもなく、幼い文秀はそんな母を「ヂュヌ」という名の婢であると信じていた。寡黙で、いつもにこにこと笑っているばかりのその美しい婢を、文秀は物言わぬ人形のように弄《もてあそ》んでいた。

棒きれでいきなり殴りつけても、背中から井戸水を浴びせかけても、朱妾はいつも笑いながらこう言ったものだ。

（少爺《シャオイエ》、お許し下さい。お許し下さい）、と。

他の使用人たちなら、怒ったり逃げ出したりするはずなのに、どういうわけか許しを乞いながらも微笑み続ける朱妾に向かって、文秀はさらに棒をふるい、水を浴びせかけたものだ。

(やい朱妾《チュヌ》、これでもか、これでもか)、と。

すべてが明らかになったのは、街道に氷の風が舞う、寒い日のことであった。兄と机を並べて手習いをしている最中に、いきなり血相を変えた父がやってきた。父は家庭教師の礼に応えようともせず、文秀《ウエンシウ》だけを部屋から連れ出した。凍《こご》える四合院《スーホーユアン》の庭で父の言った言葉を、文秀は決して忘れない。

(早くしろ、おまえのおかあさんが、じきに息を引き取るんだ)

文秀は青ざめた。

(にいさんは?)

(いいんだ。おまえだけでいいんだよ)

父が導き入れたのは使用人の小屋の中で、しかもそこには義母が暗い顔で佇《たたず》んでいた。文秀はわけがわからなくなった。

朱妾は温床《オンドル》の上に粗末な蒲団《ふとん》を被《かぶ》せられ、細い息をしていた。文秀を認めると、まず義母と父とに泣きながら感謝をし、それから精いっぱいの微笑を泛《う》かべてわが子を手招いた。

——と、そこまで思い出して、文秀は歩きながら拳を握りしめ、唇を嚙んだ。まぼろしの母の声が、その死の床で自分に向けられたものであったことに、ようやく気付いたのである。

母は文秀の腕を引き寄せ、平坦で明瞭な美しい浙江なまりの言葉で、はっきりとこう言った。

(よく聞いて、少爺《シャオイエ》……人の初め、性はもと善なり。性は相近く、習い相遠し)

そのとき、文秀はまるで教師にそう質問されたように、母の手の中で答えた。

(そんなの知ってるよ、朱妾。三字経の初めの文句じゃないか)

母は満足そうに目を細め、さらにこう続けた。

(才は以て非を飾るに足る……これは、わかりますか、少爺)

(それは、知らない。まだ習ってないもの)

(じゃあ覚えて下さい、少爺。才は以て非を飾るに足る。いい、学問は少爺のどんないけないところも、すべて被いかくしてくれるの。学問さえあれば、怖いものなんて何ひとつありはしないの)

(何を言ってるんだよ、朱妾。おまえ、字も書けないくせに)

母は微笑み続けていた。顔を上げると、父と義母はなすすべもなく佇んでいた。

わけがわからずに再び母の胸に抱き寄せられたとき、その氷のような肌の感触がかすかな記憶を喚び醒ました。それは自分が物心つく前に慣れ親しんでいた、柔らかな胸であった。

(朱妾《デュヌ》は、ぼくのおかあさんなの?)

母は薄い瞼を上げて、足元の父と義母に目で許しを乞うた。そして一語を嚙み砕くように呟いた。

(そう。でも、忘れなさい。忘れていいわ。いえ、忘れなけりゃいけない。あなたはしっかり勉強をして、偉い人になるのよ。誰にも負けない、偉い人に)

そのとたん、母は狂おしく文秀《ウェンシウ》の顔をかき抱き、後にも先にもただ一度だけ、わが子の名を呼んだのだった。

(いいね、史了《シーリァオ》。あなたは誰にも負けない。負けるはずないわ。私の子だもの!)

母の手はうなじから滑り落ちた。


——追憶に力つきて、文秀は太和門の広場に蹲った。

あたりには疲れ果てた貢士たちがあるいは文秀と同じように膝を抱え、あるいはぼんやりと佇んで天を仰いでいた。

夕日に染まった青衣はどれも柿色に見えた。もしそれぞれの冠を飾る花翎《ホワリン》が風に揺らいでいなければ、彼らは広場に据えられた一群の彫像のように見えることだろう。

母のいまわの言葉は胸を被いつくしていた。その重みに耐えきれず、文秀はとうとう石の上に膝を屈し、両手を地についた。

頭上にのしかかる太和門の黄金の輝きを見上げ、気丈な文秀はおそらく物心ついて初めて、滂沱《ぼうだ》と涙を落とした。

自分をこの場所まで導いてきたもの、十数度に及ぶ淘汰のことごとにすばらしい墨巻を書かせ、今また一点の疑いもない殿試の対案をなさしめたもの——それが決して宿命でも怪力乱神の力でもなく、死の床で授けられた母の声であったことを、文秀は知ったのだった。

「ありがとうございました」

文秀は声をふりしぼって、額を地に打ちつけた。

落日は、悄然《しょうぜん》と立ちすくみ、泣き崩れ、身悶える老若の貢士たちの影を庭前に長く曳いていた。

「媽媽《マアマア》！」

際立った大声が響いた。

振り向けば、王逸《ワンイー》が浅黒い顔を歪め、長い藍衣の袖を空に向けていた。

「やったよ、ほめてよ媽媽《マアマア》。とうとうやったんだ。進士になったんだ！」

王逸《ワンイー》の澄んだ声は勝鬨《かちどき》のように、輝かしい太和門の夕空に谺《こだま》した。

十四

風に舞い踊る柳絮《りゅうじょ》を追うのにも飽きて、玲玲《リンリン》は街道の涯《はて》に目を凝らした。

白い綿毛の柳の種は日ごとに数を増し、雪のようにあたりを被《おお》っている。兄の帰りを待つこの数日のうちに梁 家屯《リアンジアトン》には春がやってきた。

都に上った旦那様たちはとうに帰ってきたというのに、どういうわけか少爺《シャオイエ》と兄だけが戻ってこない。玲玲は日がな村はずれの街道まで出て、もう十日も兄の帰りを待っているのだった。

二哥《アルコオ》が息を引きとってから、媽媽《マアマア》はどうかなってしまった。まだ夜の明けきらぬうちに墓へ行き、日の昏《く》れるまでずっと紙銭を焼いたり、お経を上げたり、子守唄を歌ったりしている。家に戻ると、からっぽになった二哥の床に身を投げ出して泣き続ける。そのまま少し眠ったかな、と思う間に、また声を上げて泣き始める。

村の人が供物にと持ち寄ってくれた食べ物にもほとんど手をつけようとはしない。骨と皮ばかりに痩せてしまって、髪もまっしろになって、たぶんこんなことが

（まだかなあ――）

あと何日か続いたら、媽媽《マアマア》も死んでしまうだろう。

機《はた》にも蜘蛛の巣が張ってしまった。

たとえ泣き死んでしまわなくても、このままでは飢え死にしてしまう。爸爸《パアパア》と大《ダア》哥《コオ》が死んで、三哥《サンコオ》が行くえ知れずになって、とうとう二哥《アルコオ》も死んだ。もしかしたら媽媽は、自分もいっそ死んでしまおうと思っているのかも知れない。

雲《ユン》にいちゃんが帰ってきさえすれば、媽媽もきっと生きる望みをつなぐだろう。

玲玲《リンリン》は光の中に小さな手びさしを挙げて、柳絮《りゅうじょ》の舞う街道を見つめた。

痩せた土地に村人たちが苦労してこしらえた高粱《カオリャン》畑は、そのあたりにはもうなく、街道の左右は見渡す限りの葦原《あしはら》である。運河の土手に並ぶ柳がなければ、ただの曠野《あれの》だ。

このあたりは昔は湖だったのだと、死んだ爸爸が教えてくれた。お日様がほんの少しずつ水を干上らせていって、ようやく土が現れたのだ、と。だからちゃんと野菜や麦ができるようになるまでには、まだ間がある。それもたぶん、何百年も先のことなのだろうけれど。

柳絮の綿毛が舞う中に、ぽつんと影が現れた。騾馬《らば》を追う声と蹄《ひづめ》の音が近付いてくる。

兄が帰ってきた。ぬかるみに足をとられながら、玲玲は駆け出した。

「四哥《スーコォ》！　雲にいちゃん！」

玲玲は両手を振って走った。もしかしたらまた人ちがいかも知れないけれど、騾馬を追う甲高い声は今度こそ兄にちがいない。

満面で笑いながら小さな兄は口に手を添えて叫んだ。

「なんでおいらの帰りがわかったんだよ！」

兄の顔を見たとたん、玲玲は急に悲しくなった。ともかく、これで媽媽も自分も死なずにすむ。兄の操る騾馬の近付くほどに、玲玲は体じゅうから力が脱け、もう立っていることもできなくなった。

「どうした玲玲。何かあったのか」

兄は騾馬の上から埃《ほこり》まみれの顔を向けた。何からどう話してよいのやらわからず、玲玲はただわあわあと泣いた。

「かあさんは？」

「ずっと泣いてる。早く行ってやって」

兄は笑顔を吹き消すと、それ以上は何も訊かず、玲玲を騾馬の上に引きずり上げた。左手で妹を抱き、右手で荒々しく手綱をしごく。

「まったく何てのろまなんだ。飼葉も食ったし、水も飲んだってのに、何でおまえはそんなふうにしか歩けねえんだ」

兄はいらいらと老いた騾馬の首を殴りつけ、腹を蹴った。

「二哥《アルコォ》が死んじゃったの」

一瞬、妹を抱いた手がこわばった。

「お医者に診せなかったのかよ。金は置いてったのに」

「診せたよ。黄先生《ホワンシシエンション》に来てもらったの。でも、春瘟《チュンウェン》だって。この冬はひどく寒かったから、春瘟が出たらどうしようもないんだって」

兄はいまいましげに舌打ちをした。

「春瘟、春瘟――あのやぶ医者は何だって春瘟にしちまう。何年も寝たきりの二哥が、何で春瘟なんだ。爸爸《パアパア》のときも、大哥《ダアコォ》のときも、春瘟だからどうしようもないって言ってた」

春瘟がいったいどういう病であるのか、玲玲《リンリン》にはわからない。ただわかっていることは、冬場の無理が春先にたたるから春瘟なのだ。すっかり暖かくなるまで体が持てば治るし、さもなければ死んでしまう。

「薬はもらったのか」

「もらったけど、二哥はお水を飲んでも吐いちゃうの。だから、もう手遅れだって」

腹いっぱいの飯を食い、暖かい温床《オンドル》の上で眠る金持にとって、春瘟はたいした病気ではないが、貧しい者にとっては不治の病なのだ。医者の言う冬場の無理とは、腹を減らし、寒い思いをすることなのだから。

兄の腕はやり場のない怒りに慄《ふる》えていた。

「媽媽《マアマア》はずっとごはんも食べないで泣いてるの。早く行ってあげてよ」

兄は玲玲を騾馬の背に置いたまま飛び下りると、轡《くつわ》を引いて歩き出した。

「このやろう、何だってこんなにのろまなんだ。食った分ぐれえはちゃんと働け」

兄の渾身《こんしん》の力に、騾馬は少しずつ歩みを速めた。

「この騾馬、どうしたの」

「都の会館のやつさ。少爺《シャオイエ》が試験にうかったから、こいつに乗って早く知らせに行けって。ところがどっこい、歩いた方が早かった。そこいらにうっちゃって行くわけにもいかねえし、とんだ足手まといさ」

「うわあ、少爺はうかったの」

「知るか、あんなやつ。どうせおいらたちの苦労なんかわかるわけねえんだ。大哥もなんであんなやつと義兄弟になったんだろう」

何ヵ月か会わぬうちに、兄の体はひと回り大きくなって、口ぶりも大人びたような気がする。もうこれで大丈夫なんだと、玲玲《リンリン》はまた胸を撫で下ろした。

梁《リアン》家の立派な石塀をめぐって粗末な家々の点在する運河のほとりまでくると、玲玲は向こう岸の曠野を指さした。

騾馬を引く手を止め、土手に駆け上がった春児《チュンル》の見たものは、父と兄の塚に並んだ真新しい土饅頭と、その前に蹲《うずくま》ったまま動かぬ母の姿だった。

春児の心はささくれ立った。

「ここで待ってろ。かあさんを連れてくるから」

兄はそう言って母を呼びながら土手を走り、渡しの舫《もや》い舟を器用に操って対岸に渡った。

母が葦原の中で顔を上げた。泣声がひときわ高く、空に鳴る凩《こがらし》のように玲玲の耳にまで届いた。

駆け寄って抱き止めようとする母の手を、兄はそのままぐいぐいと引いて歩き始めた。母は兄の力に抗《あらが》いかねていくどか葦原の中に倒れ、また立ち上がって引かれてくる。

兄は怒鳴り続けている。

「死んじまったもの、しょうがねえじゃないか。何だってこんなことしてるんだよ、しゃんとしなきゃだめじゃねえか」

兄はとうとう、自分の体より大きな母を背負って歩き、渡し舟の中に転がりこんだ。

母はずっと泣き続けていた。とうに渇《か》れ果てた涙をふりしぼるようにして泣くさまは、まるで泣きまねをする子供のようだった。

「家に帰って何か食わせてやれ。かあさん、何か食わなきゃだめだ」

兄はそう言って、母の手を玲玲に預けた。

「にいちゃんは」

「おいらは寄ってくところがある。文句を言わにゃ気がすまねえ」

「黄先生《ホワンシエンション》？」

「そうじゃねえ。もっとふざけたやつに怒鳴りこんでやる——弁当の残りが入ってる、それ食ってろ」

兄は腰にくくりつけた包みを玲玲に押しつけると、騾馬に飛び乗った。

「ばばあ！　やい、いんちき易者。くたばっちまったか」

春児《チュンル》は白太太《パイタイタイ》の家の荒れた庭先に駆けこむと、大声で怒鳴った。

答えはなく、若葉の芽吹いた槐《えんじゅ》の枝がさわさわと鳴るばかりだった。歪んだ戸を叩いて、もういちど怒鳴った。

「どういうこった、話がちがうじゃねえか。おいらは何ともならねえし、それどころか帰ってみたらこのざまだ。おい、何とか言えよ、くそばばあ！」

扉を押し開ける。家の中は荒れすさんでいた。水瓶は土間に転がっており、鼠が足元を駆け抜けた。床には埃が積もっている。

鶏小屋ももぬけのからだった。通りすがった野良帰りの村人が、珍しげに春児を見て足を止めた。

「春児じゃねえか。いつ帰ったんだ……ああ、それにしても、あにきはだめだったってなあ。春瘟《チュンウエン》ならしかたねえけど、気の毒なこった」

「白太太はどうしたの？」

村人はなぜそんなことを聞くのだというふうに春児を見つめた。

「ばあさんなら、どっかに行っちまったよ」

「どこかって？」

「知らねえ。何でも梁《リアン》の旦那様に失礼なことを言ったとか言わねえとかで、こっぴどく叱られてよ。この家作にも置いとくわけにゃ行かねえと。で、お邸から戻ったその足で雌鶏を売っ払っていなくなっちまったんだ」

「大爺《ダァイエ》に叱られた？」

「そうよ。文源《ウェンユアン》様はどうやったって科挙にはうからんって、そう面と向かって言われりゃ旦那様が怒るのももっともだあな。何だってあのばばあは、愛想ってものを知らねえ。たとえ嘘だってうめえこと言やあ、銀貨の何枚ももらえるってのによ」

「ひでえじゃねえか。どこ行っちまったんだ」

「知るかよ。だがあの齢でここをおん出されりゃ、いずれ行き倒れさ。みんなして止めたんだがなあ」

白太太が消えた。春児は運命に見放されたような気分になった。あのお告げを聞いた日からずっと見続けてきた夢が、潮の引くように遠ざかって行った。

「おめえもいろいろと難儀だろうが、また頑張って糞拾いに精を出せや」

ちがう、と春児は胸の中で叫んだ。

白太太の言ったことは、やっぱり嘘ではないのだ。この家から追い出されれば死んでしまうとわかっていても、白太太《パイタイタイ》は嘘を言わなかったのだから。

村人の去った街道に立つと、春児《チュンル》の前に見渡す限りの不毛の湿原が広がった。そこには何もない。ただ、じっとりと湿った風が、一面の葦の穂先を薙《な》ぎ倒して吹き寄せてくるばかりだった。死と病いと空腹ばかりの、いやそんなものすらちっとも不幸だとは感じられなくなってしまうほどの、ここは陽のあたる地獄だ。

春児は葦原に躍りこむと、たちまち腰までを奪う泥水の中を、狂ったように転げ回った。

そして大空に向かって泥を投げ上げ、心に誓った。

父や兄たちのように、このぬかるみの中でのたれ死んでしまうぐらいなら、いちかばちか、やってみよう。

待っていてはいけないのだ。やつれはてた母と、幼い妹をここから救い出すためには、一丁の鎌と、煮えたぎった油と、蠟《ろう》の棒だけがあればいい。そして——最後まで気を失わぬだけの勇気さえあれば。

襲いかかる恐怖を泥とともに振り払い、春児は地平に向かって、小さな獣のように吠えた。

光緒十二年陰暦四月二十五日――同じその日、直隷省《ズーリー》静海《チンハイ》の挙人梁文秀《リアンウエンシウ》は、殿試受験者中の第一等状元《じようげん》として、進士に登第した。

第二章　乾隆の玉

十五

大清国乾隆三十年・西暦一七六五年　夏

日ざかりの熱い風が背中から吹き上がってくる。

乾清宮の玉座の下にかしずいて、おびただしい幡《ばん》や宝蓋《ほうがい》の揺れさざめく音を聴きながら、老絵師ジュゼッペ・カスチリョーネは皇帝の出御《しゅつぎょ》を待っていた。

そうして冷えた石の床に額を押し当てていると、何日も下がらぬ微熱が奪われていくようで快い。

袖の中で目を閉じる。すると内廷をめぐる蟬の声が、夢のように過ぎ去った時間を老人の脳裏に甦らせた。

生れ育ったミラノの町。光と風に包まれた美しい都。絵筆と信仰の日々を過ごしたヴェネツィア。出帆《しゅっぱん》。そして見知らぬ東洋の国での、長い伝道生活。

病に倒れ、あるいは殉教の栄誉をかち得て異国の土となった多くの修道士たちの顔が、ひとつずつ鮮明に現れ、またうたかたと消えていく。

宮廷画家として都に上り、初めて拝謁した聖祖康熙帝の尊大な表情。その寛容な父とはうらはらに、西洋の技芸には何ひとつ興味を示さず、ただ迫害をもって臨んだ世宗雍正帝の冷酷な顔。そして物心つかぬうちから円明園の画室を走り回り、カンバスをふしぎそうに覗きこんでいた、幼い日の乾隆皇帝。

聡明な御子であった、と老画家はすっかり身になじんだ長袍《チャンパオ》の袖の中で考えた。

思い返せば、今日の名望がすっかり予見できるほどの、高潔で明晰《めいせき》で、しかも愛すべき皇子《みこ》であった。

皇帝のことを考えると、いまだに幼い皇子のころの姿ばかりが思い泛《う》かぶのはふしぎである。

いずれにしろ自分は長く生きすぎた、と老人は思った。

「――お成りでございます、老師」

宦官《ホワンクワン》が耳元で囁いた。

宮殿の緊張が、ひれ伏した丸い背に伝わった。やがてかぐわしい白檀《びゃくだん》の香が漂い、衣《きぬ》ずれの音とともに皇帝の玉座につく気配がした。

宦官に腕を借りて立ち上がる。すると皇帝は、力のある、よく響く声で言った。

「苦しゅうない、郎世寧。礼の省略を許す。誰《たれ》か椅子を持て」

二人の宦官がたちまちかたわらに椅子を運び、伏したまま退いた。

「これに持て。朕《ちん》は老師の声を身近に聞きたい」

去りかけた宦官が再び椅子を捧げ持って、玉座の前に担ぎ上げた。

老絵師はおののき、流暢な北京語で言った。

「畏れ多いことでござりまする、陛下。臣はこれにて龍顔を拝し奉りまする」

「いや、近う寄れ。老師を呼びたてたのは朕の本意ではない。こちらから出向くと言うたのだが、みなに諫《いさ》められた。さ、これに掛けよ」

「天子《ティエンヅ》様がわたくしごときの邸に鳳輦《ほうれん》をお運びになられるなど、めっそうもござりませぬ。お召しを賜り光栄に存じまする。臣はこの場にて玉音を拝しまする。陛下と同じ目の高さにてお言葉を賜りますなど、先例がございませぬゆえ」

足元から見上げる皇帝の顔は笑っていた。

「先例か。そちもすっかりこの国の者になったの。まるで父祖以来の老臣に諫められておるようじゃ」

「わたくしは、御父帝、御祖父帝以来の臣でございまする。それにちがいはございませぬ」

「もうよい。そちも知っての通り、朕はその先例とやらが余り好きではない。先例がなくば朕が作ろう。これに掛けよ」

老絵師は恐懼《きょうく》しながら、一歩ずつ玉座に昇った。椅子に掛けると、皇帝は長いこと老画家の顔を見据えてから、やさしく訊ねた。

「そちは、いくつになった」

「七十八にござりまする。陛下の御寵愛を賜りまして、かように腰の曲がるまで生き長らえました」

「月日の経つのは早いものじゃのう。そちから絵筆を学び始めたのは、つい昨日のことのように感じられるが」

老絵師カスチリョーネは胸の中で皇帝の年を算《かぞ》えた。治世はすでに三十年に至り、宝算《ほうさん》も五十の半ばであろう。しかし乾隆帝の堂々たる体軀は精気に溢れ、圧倒的な威風が備わっている。

「聖寿の万歳を祈り奉るばかりにござりまする」

思わず決まり文句の讃辞を口にすると、皇帝は少し不本意そうな顔をした。

「祈るとは、誰に祈るのじゃ。耶蘇《やそ》に祈るのか」

「いえ――天にお祈り申し上げまする」

うまい答えだというふうに、皇帝は肯《うなず》いた。

「そちは近ごろとんと、神や耶蘇の名を口にしなくなったの。まさかこの期《ご》に及んで棄教したわけでもあるまい」

「わたくしめは耶蘇会の修道士にござりまする。しかし――」

しかし――何と言おうとしたのだろう。老絵師は言いかけて皇帝と目が合ったとたん、その先の文句を忘れてしまった。

近ごろこのようなことがしばしばある。思うことは言葉に変えるそばから、掌中の水のごとく喪われてしまう。

「どうした老師。遠慮はいらぬ、思っていることを申し述べよ」

そうだ。陛下の御聖徳の前にはもはや神を語ることすらできませぬ――そう言おうとしたのだ。

「耶蘇会の同志たちはみな年老いて天に召され、あるいは母国に帰りました。臣ひとり老残の身をかように晒《さら》しましては、もはや信仰を口にすることすら憚《はばか》られまする」

と、カスチリョーネはとっさにまったくちがう言葉を口にした。もちろんそれもひとつの真意にはちがいないが。

「そうか。ではそちに訊ねよう。そちは母国に帰ろうとは思わなんだか」

「思わなかったと申せば嘘になりまする。父母の待つ国、生まれ育った都を恋いしのばぬ者はありませぬ」

「さもあろう。御歳六歳にて山海関を越えられたわが祖、順治帝も、入城したのちしばらくの間、韃靼《タルタル》に帰りたいと泣いて家臣どもを困らせたという。誰しも生まれ育った地は恋しかろう」

と、皇帝は玉座から半身をふり向けて、頭上にかかる曾祖父順治帝の御筆を仰いだ。

黄金の扁額《へんがく》には「正大光明」と書かれている。いかにも若書きと思える拙《つたな》い字だが、それはたぶん、長城を越えてやってきた順治帝にとっては、漢字も異国の文字であったからにちがいない。そしてその拙さこそが、この征服民族の比類のない真《しん》摯《し》さであることを、カスチリョーネはよく知っていた。学び、かつ鍛え、家臣の誰にも増して努力を怠らぬこの王族の愚直なまでの真摯さは、目前の乾隆帝にしても同じである。わずか三十万人の韃靼《タルタル》族が、四億の漢族を支配し得たのは、少くともただ弓馬に長《た》けていたからではあるまい。

改めて順治帝の筆跡を見つめ、おそらく自分が筆を執《と》ってもそれよりは上手に書けるだろうと老絵師は思った。

すると、今から百二十年前に異国からやってきたその幼帝が、ひどく近しい人間に感ぜられた。自分が母国を夢見続けたように、彼もまた東北の故地を想い、見知らぬ国の言葉や文字を懸命に習い覚えたにちがいなかった。

「世祖順治帝の大御心《おおみこころ》を、いやしいわたくしめの望郷の念とお較べになるなど、もってのほかにござりまする、陛下。臣はただ――」

と、老人は口ごもった。このごろ言いかけた言葉の先を忘れることはしばしばだが、考えもせず安易な言葉を口にしてしまうことも多い。あやうく「逃げ遅れただけにござりまする」と口に出しそうになって、老人はすんでのところで言葉を変えた。

「──臣はただ、やりおおせねばならぬ仕事が多かったのでござりまする」

「それは、天主教の伝道のことか」

「いえ、陛下。わたくしめは絵筆をなりわいとする者にござりまする。陛下の御尊影を写し奉ること、陛下の御偉業を写し奉り、後世に遺し奉ることこそ、わたくしめの使命にござりまする」

皇帝はカスチリョーネの言葉に肯こうとはしなかった。まるでいつか従軍のおり、幕営の朝に見たジュンガルの湖のような、深く大きな瞳で絵師を見つめた。

「それは、いつわりであろう、老師」

皇帝の瞳を見返すことができずに、老人は俯《うつむ》いた。

「陛下の御前にて偽りなどと……めっそうもござりませぬ……」

「そちの顔には、逃げ遅れたと書いてある。そちは誠実な人間じゃ。自らの苦衷《くちゅう》を訴えず、他の誹謗《ひぼう》もせず、朕に対して巧言をなすこともない。そして、偽りを申せばすぐにそうとわかる。天主教の訓《おし》えはことそちに関する限り、正しく具現されておると言わずばなるまい。元来、人はそうでなければならぬ」

皇帝は龍袍《ロンパオ》に包まれた広い胸を揺るがせて、草原を薙《な》ぐ風のように大らかな笑い方をした。

「そちは覚えておろうか。まだ祖父康熙帝の御世のことじゃ。離宮の画室で、朕はそちにこう問うた。老師、あなたは宣教師なのですか、それとも画家なのですか、と。幼な児にとって、それは大きな疑問であった。世に二つのなりわいを持つ者など、いるはずはないと思っておったからの」

「ずいぶんと昔のことでござりまする。五十年も前のこととて、わたくしめはもう覚えてはおりませぬ」

「そうか。だがそのとき、そちはあたりを憚りながら、朕の耳元でたしかにこう答えた。殿下、わたくしめは宣教師でござりまする。遥かな異国から教皇様の命を受けてやってきた、耶蘇会の修道士にござりまする、とな。たしかに、そちはそう申した」

「畏れ入りまする、陛下。陛下の御記憶の確かさはとうてい常人の及ぶところではござりませぬ」

「だから、そちはいま偽りを申したと言うのじゃ。それともそちは、この五十年のうちに信念を変えたか」

「いえ……あまりお責め下さりまするな、陛下。もとよりわたくしめは司祭《パードレ》にもなることのできなんだ助修士の身分、伝道者の数のうちにも入りはいたしませぬ」

話すほどに、老人の緊張は緩んできた。それを見計るように、皇帝は殿内を眺めわたして命じた。

「書記は退がるがよい。老師との対話は記録には及ばぬ」

ただひとりの韃靼人《タルタル》である書記官は、平伏して御前を退出した。

すると皇帝は突然、流暢な満洲語で言った。

「さあ、残るは漢人の太監《タイチェン》ばかりである。かれらの理解できぬ言葉に改むるが、よいか」

「御意にございまする」

と、老絵師もかつて習い覚えた韃靼の言葉で答えた。

「わたくしめは、この方が好きでござりまする。亡き御祖父様とはすべて韃靼語でお話をいたしました。御父上様とも半ばはそうでござりました。今こうして陛下と満洲の言葉を交わしまするると、何か昔に帰ったような思いがいたしまする」

「おお、たしかに上手に語るの。近ごろでは宮中の旗人《チレン》たちも、とんと韃靼の言葉は口にせぬ。朕も久しぶりじゃ」

居並ぶ宦官《ホアンクワン》たちは、二人の間でふいに交わされた異国語に驚き、顔を見合せている。そのさまがよほどおかしいと見えて、皇帝はやはり韃靼ふうの、武張《ぶば》った笑い方をした。

「若い御前太監《ごぜんタイチエン》どもには決してわかりはすまい。これでよいぞ、老師。思ったことを存分に語るがよい。昔通りに、朕はそちの弟子じゃ」

「余りにもったいないお言葉でござりまする。されど、何を申し上ぐればよいものやら。わたくしめにはもはや、陛下をお喜ばせ申し上げる知識は何ひとつござりませぬ。ヨーロッパのことなど遠い昔のこととて、みな忘れました。おそらく母国語すらも、もう満足には話せますまい」

「忘れた？　――フランスの言葉も、イタリアの言葉もか」

「はい。少くもこの韃靼《タルタル》の言葉の方が、はるかに容易でござりまする。書くことはまだできましょうが、話すことはおそらく――」

皇帝は大きく息をつき、悲しげな目を老人に向けた。

「そちはかくも長い間、異国にあったか……」

「考えてみても下さりませ。順治帝が入関なされてから五十年といえば、御祖父康熙帝の御世もすでに半ばを過ぎておりまする。そのころはや、この韃靼語が韃靼人の口から失われたように、来朝以来五十年の年を経たわたくしめの口から、ラテン語やフランス語の忘れ去られることは、道理でござりましょう。しかもその間、宣教師たちの多くは都を追われ、残った者は円明園の画室と欽天監《きんてんかん》に勤むる技能者ばかりとなりました。いずれも筆先をにらみ、星を読むをこととする者ばかりでござります。母国語での対話など、交わすことも稀《まれ》でござりました」

そう言いおえてから、自分が帝の天主教への迫害を責めたような気がして、老絵師は袖の中で頭を垂れた。

「これは過ぎたことを申しました。老人の繰り言とお聞き流し下さりませ。他意はござりませぬ」

皇帝は首をややかしげて目を閉じ、人差指をこめかみに当てた。それが深く思惟《しい》するときの皇帝の癖であることを、カスチリョーネは知っていた。

「これは――失言にござりました。お許し下さりませ、わたくしめに他意は……」

待て、というふうに左手を差し出し、皇帝は長いこと眠るような思惟を続けた。

やがて目覚めたように太い眉を上げ、正確で明晰な韃靼語で、皇帝は言った。

「後にも先にも一度しか言わぬ。朕が臣、郎世寧として聞くも、修道士ジョゼッペ・カスチリョーネとして聞くも、そちの自由じゃ。ただし朕は、一度しか言わぬ」

老人は丸い背を伸ばし、全身を耳にした。

「朕はそちの内心考えおるがごとく、天主教の伝道を迫害しつつそちたちの持つ技術のみをかすめ取ろうとしたわけではない。朕はそれほどに老獪《ろうかい》な、姑息な施政者ではない。そちたち伝道者は決して気付いてはおるまいが、ヨーロッパの諸王は天主教の伝道にことよせて、この国を手中に収めんと考えておる。もし朕が天主教を公許すれば、そちたちの背後に控えおる者どもが、布教の名を借りて、あるいは聖戦の名のもとに必ずやこの国を侵すであろう。朕がそちたちに対して、一見矛盾せる扱いをなしたるは——天主教を迫害しつつ技芸を重用したるは、すなわち、国を守りつつヨーロッパを理解したかったからじゃ。そちたちは朕のなしたる迫害と弾圧を呪っておるであろう。しかし考えてもみよ、耶蘇の訓《おし》えは貧しき民草のものである。尊い訓えを戦の口実にして民草の血を流すことこそ、迫害にまさる神への冒《ぼう》瀆《とく》であろう。よって朕は、民の平安と伝道者たちの名誉のために、迫害を行ったのじゃ。朕はひそかに宣教師たちのなしたる著述を繙《ひもと》き、できうる限り天主教の教理を学んだ。その訓えは尊い。しかし尊ければ尊いほど、信ずる者には同じだけの良識がなければならぬ。科学と宗教とは、均衡せる両輪でなければならぬ。わが国にも、いずれヨーロッパに並ぶ科学を持ちうる日が来るであろう。天主教の尊い教理は、そのときわが臣民に理解されればよい。それこそが正しき信仰の姿であると、朕は信じておる。百年、いや二百年の先かも知れぬ。だが主は——耶蘇はその時間を、お許しになるであろう」

老絵師は涙を拭った。

宦官《ホアンクワン》が茶と菓子とを捧げ持ってきた。

九重《ここのえ》の城門を縫って寄せる日ざかりの風は、涼やかに乾清宮に吹き入り、かつて皇帝から拝領した三品官《さんぴんかん》の花翎《ホワリン》を揺らして、後宮へと吹き過ぎて行った。

感動に身を慄《ふる》わせながら宮廷画家郎世寧は——イエズス会の助修士ジュゼッペ・カスチリョーネは、はっきりとこう感じた。

大いなる地球が、二人を乗せてめぐっている——。

十六

後の乾隆帝、愛新覚羅《アイシンギョロ》弘暦《ホンリィ》は、女真韃靼《タルタル》族の大ハーン、太祖努爾哈赤《ヌルハチ》より数えて五代目の孫として、康熙五十年西暦一七一一年に生まれた。父は聖祖康熙帝の第四阿哥《アーゴ》胤禛《いんしん》、後の清朝第五代雍正帝である。

韃靼族には長子相続という習慣がなかった。部族を率いるに足る力と知恵のある者がハーンの地位を継ぐ。それが勇敢な狩猟民族である彼らの伝統であった。

群をなす野獣がそうであるように、力ある者が部族を率いる。そしていったん皇帝の位につけば、競い敗れた兄弟とその支持者たちに対しては容赦なく報復がなされる。しかるのちに多くの妃嬪《ひひん》を迎えておびただしい阿哥をもうけ、阿哥たちはまたその瞬間から皇帝の座をめぐって弓馬と学問にあけくれる。

清王朝の歴代の皇帝にこれといって暗愚な者がなく、いずれも魅力的な個性の持ち主であることは、この帝位継承の習わしにあずかるところが大きかった。

乾隆もまた父雍正帝の第四皇子、満洲語でいうところの四阿哥《スーアーゴ》である。

皇子と初めて出会ったときのことを、カスチリョーネは自らの描いた絵画の一場面のようにありありと覚えている。

それは彼が宮廷画家に推挙されてから間もない、まだ二十代のうら若き修道僧であったころのことである。

円明園の画室に、何の前ぶれもなく康熙帝が出御《しゅつぎょ》した。おりしも離宮を飾る静物画を制作中であった絵師たちは、たちまち筆を置いて叩頭《こうとう》した。

帝は一人の通辞だけを伴い、幼い阿哥の手を引いていた。それはわずか四、五歳の、珠《たま》のように愛くるしい皇子であった。

絵師たちに作業を続けるよう告げたのち、康熙帝はそれぞれの机をめぐり、文人皇帝らしい意見を彼らの作品に与えた。この地大物博の国を統治する大帝の名にふさわしい、寛大で温厚な帝であった。

帝が描きかけの朝鮮紙を覗きこんだとき、若いカスチリョーネの筆先は緊張で慄《ふる》えた。彼は窓辺に置かれた罌粟《けし》の花を素描しているところであった。

下絵を指さして、帝は言った。

「陰影は醜い。わが国の技法にはこのように影を描き入れることは許されぬ」

カスチリョーネは覚えたての拙《つたな》い韃靼語で非を悔いた。

「わかればよろしい。われらが漢族の文化を尊ぶように、そちも母国で習い覚えた手法は改めねばならぬ。事物に忠実に、精密な線をもって描かねばならぬ」

そのとき、手を引かれていた皇子が不審げに祖父を見上げて言った。

「でも、おじいさま。お花には影があります。窓から光がさせば、黄色いお花にはとても黄色いところと、そうでないところができましょう。葉も、花瓶もそうです。どんなにありのままを描いても、影がなければありのままではござりませぬ」

一瞬、カスチリョーネと老大帝は見つめ合った。帝はたいそう困った顔をし、いとも簡単に意見を改めた。

「なるほど。おまえは賢い子じゃ。そうじゃな、ありのままを描かねばならぬ。続けよ、郎世寧」

カスチリョーネは皇子の観察眼の鋭さに驚嘆した。宮廷に西洋画はない。皇子の生活を飾るものは、細い線ばかりをみっしりと描きこんだ、この国の水絵ばかりである。西洋画の遠近法や透視図法を、幼い皇子が知るはずはなかった。

皇子はカスチリョーネの筆先を見つめながら、さらに愕くべきことを言った。

「それに、おじいさまのご覧になるお花と、この者の見るお花とはちがいます」

意味がわからずに、帝とカスチリョーネはまた目を見合わせた。

「そのようなことはあるまい。花は花、誰しも同じに見えるであろう」

「いえ、おじいさま。たとえばわたくしがお空の雲を見て、うさぎのようだと申します。でも五阿哥《ウーアーゴ》は鳥のようだと申しますし、三阿哥《サンアーゴ》は人の顔のようだと申します。どのように見ゆるかは、人それぞれにちがうのです」

帝は大きな溜息をついて、カスチリョーネに意見を求めた。

「変わった子じゃ。何ごとにもこのように変わった物の考え方をする。絵師としては、この阿哥の才をどう思うか」

カスチリョーネはしばらく呆然として、輝くばかりに美しい皇子の顔を見つめた。言うべき言葉がうまく翻訳できずに、かたわらの通辞にラテン語で伝えた。漢人の通辞は即座に言上した。

「郎世寧はこう申しておりまする――西洋の画法はひとえに事物を描写するのみならず、芸術家の心に映りたる印象を、映りたるように絵筆に託すのである、と。それを御言葉になされる四阿哥《スーアーゴ》は、技芸における天賦《てんぷ》の才をお持ちであると、驚嘆いたしておりまする」

すると帝は、いかにも満足げに目を細め、

「好《ハオ》、好《ハオ》」と何度も肯《うなず》いた。

「そうか。見ゆるものは人それぞれにちがうとな——なるほど、この阿哥《アーゴ》は天才やも知れぬ」

「御意《ぎょい》にござりまする陛下」

「だが……もしこの阿哥が長じて政《まつりごと》を行のうとすれば、その才はむしろ不幸であろう。それぞれに異なる人心をいちいち斟酌《しんしゃく》しておったのでは、物事は何ひとつ行えぬ。万人の納得する天下など、あるはずはないのだから」

謎めいた言葉を残して、帝は去った。

その日、カスチリョーネは一緞《いったん》の絹を帝より下賜された。


それが乾隆とカスチリョーネとの初めての出会いである。

興の向くままに古い思い出を語らう皇帝は、いつになく饒舌《じょうぜつ》であった。皇族や重臣も決して許されぬ間近に皇帝の顔を拝しながら、老絵師は幼い皇子のころの面影を、その威風の中にいくつも見出すことができた。

切れ長の瞼をしきりにしばたたく癖。微笑を泛《う》かべるとき、その口元を飾る少女のようなはにかみ。問われて即答することはなく、いちど咀嚼《そしゃく》してからおもむろに答える様子は、祖父康熙帝に驚くほど似ている。

五十年間、その成長を追って描き続けてきたおびただしい肖像画が、老絵師の胸に一枚ずつ甦り、嵩《かさ》んでいった。

ふと、帝が十二、三歳のころ、熱河《ルーホー》の離宮で描いた一葉がありありと瞼に泛かび上がった。

四阿哥《スーアーゴ》はすでに兄たちにまさる雄大な体軀を持っていた。背丈は侍臣たちにも抜きん出て高く、胸は鎧《よろ》われたように厚く、女真族の誇りである濃密な髭は、早くもその浅黒い肌を被《おお》い始めていた。

入関以来の老臣のある者は、百戦して敗れることのなかった睿《ルイ》親王多爾袞《ドルゴン》に生き映しだと語った。また漢人のある大学士は、草原の英雄チンギス・ハーンの再来にちがいないと讃えた。

事実、四阿哥は弓を執れば歴戦の将軍をもたじろがせ、馬を御すれば長駆関外にまで至って、随臣たちを大いにあわてさせたものであった。

また巻狩りに出れば、自ら族長のしるしである黄色の旗を掲げて山頂に立ち、八旗の兵たちを号令叱咤《しった》し、足元に追い上げられた手負いの虎や熊を、みごとに射殺した。

そうした武勇もさることながら、何よりも人々を感嘆させたものは、祖父康熙、父雍正ゆずりの勤勉さである。

すでに満、漢、蒙古の三語を自在に操り、四書五経に精通し、その教養の深さは他の阿哥《アーゴ》たちのとうてい及ぶところではなかった。

あえて較べるまでもなく、雍正帝がこの四阿哥《スーアーゴ》を後嗣《こうし》に指名することは明らかであり、それは衆目の一致するところでもあった。

父が帝位についたときに起こったような政争や報復はあり得べくもなく、兄弟たちは四阿哥のもとで王府に下り、あるいは爵位を得て貴族に列することを潔しとするにちがいなかった。

やがて誰が言うともなく、四阿哥は「大阿哥《ダアアーゴ》」と呼び習わされるようになった。満洲朝廷に皇太子を冊立《さくりつ》する制度はないが、大阿哥の称号は文字通り世子を意味するものであった。

そう――そのころのことだ。

新来のフランス耶蘇《やそ》会士が、多くの献上品を携えて入京した。しかし謹厳無比の専制君主である雍正帝は大の西洋嫌いで、洋来の文物には全く興味を示さない。そこで、ルイ十五世の勅選にかかるそれらの品々が、永久に倉の中で埃《ほこり》を被《かぶ》ることを怖れたカスチリョーネは、一計を案じた。

献上品の中に、最新式の望遠鏡があった。帝の見向きもしない物であるなら、せめて四阿哥にご覧に入れようと、養心殿の御座所に望遠鏡を据えたのである。四阿哥が御嘉納になるということは、いずれ皇帝の所蔵となるわけだから無駄にはならない。四阿哥が類《たぐ》い稀《まれ》な好奇心の持主であることを、カスチリョーネは良く知っていた。

やがて騎射の稽古をおえた四阿哥が、剣を佩《は》き箙《えびら》を携えたまま養心殿に戻ってきた。

はたして鎧を解く間ももどかしくカスチリョーネに説明を求め、四阿哥は珍しげに望遠鏡を覗きこんだ。

遥かな外宮三殿の甍《いらか》が、まるで手に取るように望まれた。

四阿哥は愕《おどろ》き、宦官《ホアンクワン》たちにもそれを見るように勧め、さらに望遠鏡を景山の頂きに運び上げるよう命じた。

かわるがわる望遠鏡を覗いた宦官たちは、これこそ西洋の幻術にちがいないと怖れおののき、かように得体の知れぬ物を御嘉納めさるなと、口を揃えて進言した。

しかし、いったん言い出したら決して退かぬ皇子である。青ざめる宦官たちを叱咤して望遠鏡を轎《かご》に乗せ、自らは先頭を駆けて景山へと向かった。後宮の女官たちは時ならぬ奇怪な行列に逃げまどい、殿の奥に身を隠した。

さて、景山の頂きに登り、万春亭の白松の下に器材を据えつけると、皇子はもう一度ためつすがめつ望遠鏡に覗き入り、長いこと地平の涯《はて》までを見はるかしていた。

いったいこの聡明な皇子がどのような感想を述べ、何を御下問になるのかと、カスチリョーネは胸をときめかせた。

しかし、四阿哥《スーアーゴ》は望遠鏡を覗いたまま、カスチリョーネや修道士たちの考えもせぬ言葉を、いきなり呟いたのである。

「面妖じゃ。地平が丸く見ゆる……なぜじゃ」

カスチリョーネは答に窮した。天と地を祀《まつ》り、自然を拝するこの王族に対して、地球の科学的説明を加えることは禁忌《きんき》である。

他の阿哥であれば、ただ遠い物が近くに見える機械を嘉《よみ》するだけにちがいないのだが、人並はずれて観察眼の鋭い四阿哥は、レンズの中に地平の丸さを発見してしまったのである。しかも、まずいことにこの皇子は、疑念を決して疑念のままには置かぬ性格であった。

「まちがいない。外城の壁が、わずかに丸く弧を描いておる。やや——永定門も天壇も、丸い地平の上に立っておるではないか」

天を祀る天壇がかくあると聞いて、宦官《ホアンクワン》たちはどよめいた。それはまさに驚天動地の発見にちがいなかった。

皇子は望遠鏡から目を離すと、手びさしを掲げて叫んだ。

「今の今まで気付かなんだ。こうして見ても、たしかに地平は丸い。説明せよ、これはいったいどうしたことなのじゃ」

カスチリョーネは懸命に言葉をはぐらかした。

「それは……あのあたりがまことに広大な、歩いただけではそうとわからぬほど広大でゆるやかな丘なのでござりましょう」

「その答は、おかしい」

と、四阿哥は疑念に満ちた顔を、青ざめる異人たちに向けた。

「ここは世界の中心たる中原《ちゅうげん》の地なるぞ。わが皇城が歪んだ大地の上にあるはずはない」

「皇城はもちろん平かなる地の上にござりまする。遥か永定門のあのあたりが、丘陵なのでござりましょう」

「いや、それもおかしい」

と、四阿哥《スーアーゴ》は再び望遠鏡を覗いて唸った。

「予は以前から疑問に思っていたことがある。地平は線に見ゆるが、馬を駆ってその場所に至れば稜線などはどこにもなく、ただ茫々《ぼうぼう》たる原が続くばかりじゃ。そしてその先にはまた地平が望まれる。追っても追っても、地平の稜線にたどり着いたためしがない。欽天監《きんてんかん》の学者たちに質問しても、誰も満足のゆく解答は言わぬ」

カスチリョーネは返す言葉もなく、ただ四阿哥に望遠鏡を献上した浅慮を悔いた。天文学を司る欽天監の学者たちが、天を祀る皇子の質問に答えられるはずはない。

「隠さずに申せ、なぜ地平は丸いのじゃ」

「隠してはおりませぬ。お許し下さりませ、殿下」

「いや、隠しておる。西洋人はともするとわれらの無知をあなどっておる。よいか──たとえばあの永定門上にこの遠めがねを据えてこちらを見たとしよう。さすればおそらく皇城もこの景山も、丸い大地の上にへばりついておると見ゆるはずじゃ。だとすると、地平は丸い弧の連続ででき上がっている、ということになる。すなわち、この中原の大地は涯もなく丸い一枚の面にてできておるということじゃな。うむ──これで長年の疑問も説明がついた」

「そのようなことはござりませぬ。皇帝陛下のおわしまする皇城が、なぜ歪んだ地の上にありましょうや。皇城は磐石《ばんじゃく》無窮《むきゅう》なる大地の上にござりまする」

懸命の弁明をするカスチリョーネを、四阿哥は侮るように睨みつけた。それからたくましい胸を反り返らせて、天を仰いだ。カスチリョーネと修道士たちは、皇子の聡明さを怖れた。

「そちも欽天監の腰抜けどもと一緒か。答えたくなくば、答えずともよい。予は自ら考えるとしよう」

長い時間、皇子は望遠鏡を覗き、目を離しては思い悩むふうをした。

「わかった」、と四阿哥はふいに呟いた。

「わかったぞ。これは大変なことじゃ。そちはさきほど、磐石無窮と言うたな。この中原が磐石な平地ではなく、丸い面であるとするなら、それが無窮であるということは――」

と、四阿哥は体に不似合いなほど繊細な両の掌を、胸の前であれこれと形にした。こね上げられるように動くその手が、明らかに球を抱くように定まったとき、カスチリョーネと修道士たちは膝を屈して地に叩頭《こうとう》した。

「つまり、大地は球体なのじゃな。だがしかし……ううむ、わからぬ。球体であるということは、遥かなヨーロッパの者たちは、いったいどのような暮らしをしておるというのじゃ。わからぬ。答えよ、いったいこの世はどうなっておるのか」

「それは、殿下……それは、つまり……」

「隠すな。決して愕《おどろ》きはせぬ。西洋の者たちは、いったいどのように暮らしておるのじゃ」

「ご容赦下さりませ。お許しを、殿下」

なりゆきとはいえ、皇子に天地の科学を教示したとあっては極刑をまぬがれない。修道士たちは地にひれ伏したまま、身じろぎもできなかった。

「どうしても話したくなくば、予が言おう。そちたちが何ゆえわが国にかくも拘《こだわ》るのか。次から次へと、追われても追われてもやって来るのか。ヨーロッパの諸王がかように貴重な貢ぎ物を何ゆえ贈ってよこすのか。その謎までもが今ようやく解けた」

四阿哥《スーアーゴ》は仁王立ちに立って腕を組み、修道士たちを見くだして確信ありげに言った。

「西洋人はみな不自由な暮らしを強《し》いられておるのじゃ。ローマ教皇も、ルイ十五世も、マリア・テレジアも、みな逆立ちして暮らしおるのであろう。その苦痛に耐えきれず、そちたちを先達《せんだつ》としてわれらに取り入り、いずれこの国に移り住もうと、そう考えておるのであろう」

宦官《ホアンクワン》たちは意外な事実を聞いて、いっせいに悲鳴を上げ、ある者は腰を抜かした。

「めっそうもございませぬ、殿下。それは誤解にございまする。われらは決して逆立ちをして暮らしてはおりませぬ。ちゃんと地に足をつき、大地を踏んで歩いておりまする」

「偽りを申すな。ならば予の納得の行く説明をせよ。さあ、何とする」

「それは……たしかにご賢察の通り、大地は球体でございまする。万物を引きつける大地の力によって、裏の者も表の者も、みな平常に暮らせるのでございまする」

「何と！　万物を引きつける力とな。そのような偉大な力があってたまるものか。予は信じぬぞ」

「では申し上げまする。われらは海を渡って参りまする。万物を引きつける力がなくば、西洋の海はたちまち宇宙にこぼれ落ちるはずではございませぬか。われらがヨーロッパからはるばる海を渡って参りますことこそ、われらの逆立ちをせずに暮らしおる証明にございまする」

四阿哥《スーアーゴ》は目をしばたたき、首をかしげた。もうなるようになれと、カスチリョーネは続けた。

「大地は丸い球体で宇宙に浮かんでおりまする。しからば一年に一度の周期をもって太陽の周囲をめぐり、自らも一日に一度の周期をもって回転しておりまする。四季のうつろい、夜と昼の区別は、そのために起こる現象にござりまする」

これは大問題に発展するだろう、とカスチリョーネは考えた。かつては使者たちの全てに叩頭という儀礼の作法を強制しようとして、外交問題を引き起こしたほどの頑迷な国のことである。彼らの信奉する天と地の真実のありさまが公表されれば、西洋人はすべて首を打たれ、たちまち戦が始まるかも知れない。

しかし、四阿哥の驚くべき理解力は、世界の危機を救った。

「ふむ。なるほど、そうか。太陽や月や星が天をめぐるは、実は地が動いておるから、まやかしにそう見ゆる、というわけじゃな」

「御意にござりまする、殿下」

この少年はやはり天才にちがいない、とカスチリョーネは思った。

「そちの申すことはいちいち理に適うておる。あながち嘘とも思えぬ」

「殿下はご聡明にあらせられまする。ただただ畏れ入るばかりにござりまする——

ところで、殿下はなぜそのように、お国の常識にかからぬことをたちまちご理解なされたのでござりましょうや」

「今ふと考えたのじゃ。予が舟で遊ぶとき、あるいは轎《かご》に乗ってゆるゆると進むとき、予が動いているのではなく、あたりの風景が動いているように感ずることがある。実は幼いころからずっと、そのような幻想を楽しんでおったのじゃ。われらが大地の動きを体に感じず、天が動くと見ゆるはそれと同じ理屈であろう」

「その通りでござりまする、殿下。さすがは中華をしろしめす帝の皇子、われら畏《かしこ》みまして返す言葉もござりませぬ」

四阿哥の聡明さはとどまることがなかった。考える間もなく、周囲の宦官《ホアンクワン》たちに向かってこう宣言したのである。

「聞くがよい。ただいまこの者どもの申したことは、天主教のいわく伝説の類いである。真に受けて怖るるには及ばぬ。予は予の知識の一助として、バテレンの夢物語を問い質《ただ》したまでじゃ。されど、かような伝説はともすると無辜《むこ》の民をして恐怖せしむるであろう。しからばそちたちは金輪際、このことを口外してはならぬ。もし万がいち口にしたとあらば、予が容赦なく首を打つ。語る者あらば予に訴え出よ。褒美として銀百両を与える」

宦官《ホアンクワン》たちはむしろ胸を撫で下ろし、叩頭して意に従う旨を誓った。

四阿哥《スーアーゴ》はまだ慄えのおさまらぬカスチリョーネの耳元でこう囁いた。

「これでよい。宦官たちは決して口外はすまい。それよりも、予はその説にいたく興をそそられた。さらなることの詳細を聞きたい。もちろん誰にも話したりはせぬ。かようなことがお耳に入れば、わが父はどうかなってしまうからの——それから、この遠めがねじゃが、おそらく父は何の興味も持つまい。予が望んで御下賜ねがうが、それでよいか」

一同が平伏すると、四阿哥は上機嫌で望遠鏡の収納を命じた。

鎧を鳴らして景山を下りかけながら、皇子は眩《まば》ゆいほどの笑顔を宣教師たちに振り向けて言うのだった。

「書簡をしたためる折があらば、パリイのルイ十五世にお伝え願いたい。皇帝の阿《アー》哥《ゴ》、弘曆《ホンリィ》なる皇子が、いたく気に入っていたと。座右の宝物とするであろう、とな」

十七

——若き乾隆の笑い声は今も耳に残る。

そのときカスチリョーネは、ルイ十五世もフリードリヒ大王も及ばぬ大帝の出現を、はっきりと予見したのであった。

乾隆はほどなく帝位に就き、空前の世界帝国を築いた。全ヨーロッパに匹敵する版図を持ち、四億の人口を包摂した超国家、大清帝国の完成であった。乾隆はその長きにわたる治世の間、たしかに彼ひとりの力で地球を動かしていた。

「あの遠めがねは今も朕《ちん》の宝じゃ。朕が四十年も使い続けたものは、ほかにはあるまい。吐蕃《チベット》を征した折には、聖なるヒマラヤの峰々を間近に望むことができた。度重なる行幸に際しては、田畑の実りを測ることもできた。またジュンガルを平定し、オイラートを平らげた折も、あの遠めがねは常に予とともに陣頭にあった。あれがなければ戦はままならなかったであろう」

語り合いながら、乾隆帝はカスチリョーネの労に報いるように微笑み続けていた。韃靼《タルタル》の言葉を理解せぬにしても、宦官《ホアンクワン》たちが常にない皇帝の表情を訝《いぶか》しみはせぬかと、老絵師は気を揉《も》んだ。

「戦の勝利も民の平安も、ひとえに陛下のお力のなせるところにござりまする。他に何の理由がござりましょうや」

「いや」、とふいに皇帝はきらびやかな龍袍《ロンパオ》の袖を伸べて、カスチリョーネの掌を握った。愕《おどろ》きながらも、なすがままに任せた。それにしても皇帝の手の何と繊細なことか。

今や乾隆に不可能はなかった。ゴビの砂漠を越え、ヒマラヤさえも越えた乾隆の軍にまつろわぬ者は、もうこのアジアにはなかった。

「もったいのうござりまする、陛下。どうかお手を……」

この手には弓弦《ゆづる》も剣も似合わない。絵筆を執り、花を抱くにふさわしい雅びな手であるのに。

病に倒れる前に、これだけは訊いておかねばならぬと考えていた疑問を、カスチリョーネは思い切って口にした。

「陛下にお訊ね申し上げまする。陛下は何ゆえ戦をなさるのでござりまするか。不毛の砂漠や峻嶮《しゅんけん》な氷の峰までを、何ゆえ手中になさろうとお考えになるのでありますか」

虚を突かれたように、乾隆は手を引いた。

「お教え下さりませ。誰よりもご聡明であらせられる陛下が、なにゆえこの豊かな大地を出て辺境に兵をお進めになられますのか」

「そちに言うべきことではあるまい」

言葉が冷ややかには聞こえず、むしろ自分を気遣う慈愛に満ちていることが、カスチリョーネを冥《くら》くさせた。

「わたくしめは天主教を信ずる者として、多くの血を流す戦の大義を知らねばなりませぬ。天に召されたのち、陛下の御偉業を主から問い質《ただ》されましても、答えようがございませぬゆえ」

「死んでも死にきれん、というわけか」

「御意にございまする」

乾隆は黙ってカスチリョーネの顔を見つめ、迷わずに言った。

「では、答えよう。朕はヨーロッパが欲しい」

「何と申されまするか」

「そちたちのもたらしたもの——望遠鏡、美しい絵画や音楽、スペイン銀貨、円明園の西洋館や噴水、時計、排気筒、気圧計――朕はそれらの文物に充ち満ちているヨーロッパのすべてが欲しいのじゃ」

乾隆の深いまなざしを見返しながら、カスチリョーネは考えた。皇帝は嘘をついている。この偉大なる皇帝、叡智《えいち》に富み仁慈に溢れたこの英主が、物欲のためにのみ戦をするはずはない。

「それは、戦の立前ではあっても、陛下のご意志ではござりますまい。わたくしめの尊敬してやまぬ陛下が、スペイン銀貨のために血を流されようとは、とうてい思えませぬ」

そこで帝は、初めてとまどいのいろを表わした。

「ではそちに訊く。朕が戦の真の目的とは何であるか。申してみよ」

自ら口にできることではないのだ、とカスチリョーネは思った。幼い皇子のころから親しみ、画室では二人きりの時間を長く持ち、おそらく皇族の誰よりも、臣下の誰よりも皇帝のことは知悉《ちしつ》している。

「謹んでお答え申し上げまする。御《ご》宸念《しんねん》を覗きまする非礼を、どうかお許し下さりませ」

「苦しゅうない。師の考えとして聞く」

「陛下は目に見えぬものを探しておいでになりまする」

「目に見えぬもの、とな」

「はい。それはおそらく、われら天主教徒の信奉する、神の愛にござりまする。耶《や》蘇《そ》様の愛にござりまする」

乾隆はおし黙った。いちど威を誇るように背筋を伸ばしたが、心のどよめきは隠しようもなかった。

「つまらぬ繰り言を申すな。朕は中華の天を祀《まつ》る天子ぞ」

「それでは言い方を改めさせていただきまする。世界一の英主であらせられる陛下は、世界一孤独な御方にあらせられまする。ヨーロッパの諸王のごとくローマ教皇の前にぬかずき、懺《ざん》悔《げ》をなさることも、枢《すう》機《き》卿《けい》から神の愛を示されることも叶いませぬ。ただひたすら天を祀り、祖宗を崇め、軍政の大権をことごとくしろしめされておられまする。天下の何物にも帰《き》依《え》することのできぬ陛下は、幼き皇子のころよりずっと、抱きしめ、涙し、叫び、歓喜するものを探しておいでになります。陛下の御尊像を数えきれぬほど描かせていただいたわたくしめには、そのお苦しみ、その孤独なお心が、手に取るようにわかるのでござりまする」

話すほどに涙が溢れ、カスチリョーネは卓の上に額を伏せた。不敬とならぬよう、婉曲な言い回しをしなければならないが、つまり皇帝は、人間誰しもに許されている愛の所在を探しあぐねているのだ。皮肉なことに、そればかりが皇帝の手に入らぬ唯一のものなのだ。

「心から愛するものを、陛下はお探しになっておられるのでございましょう。誠に、おいたわしい限りにございまする」

と、ようやく端的な言葉を、カスチリョーネはふり絞った。

泣きくれた顔を上げる。乾隆の姿はかがやかしい乾清宮の玉座の上に、まるで巨大な宝石にうがち出されたもののように定まっていた。

皇帝は龍袍《ロンパオ》の膝を組み、冠をかしげて細い指をこめかみに当てた。それからやおら居並ぶ宦官《ホアンクワン》たちを見渡して、うろたえたようにこう叫んだ。

「愛《アイ》——那是甚嗎《ナアシイシエンマ》？」

愛——それは何だ、と。

黄金の盃に馬乳酒《ばにゅうしゅ》をくみ交しながら、帝と老絵師は時の経つのも忘れて語り合った。

乾清宮にはいつしか夕闇が迫っていた。

「それにしても老師、そちは相変らず酒が強いの。天主教の訓《おし》えに、酔うてはならぬとでも書いてあるようじゃ」

「いえ、陛下。修道僧はカトリックの戒律に従って三つの誓願を立てまする。清貧であること、貞潔であること、従順であること。酒を飲んではならぬとは、どこにも書いてはありませぬ。神学校《セミナリオ》を了えれば、みな渇した旅人のように葡萄酒を呷《あお》りまする。ただし僧衣に懸けて、酔い乱れるわけには参りませぬ」

カスチリョーネの饒舌《じょうぜつ》に、帝は声をたてて笑った。

「たしかに朕と同じだけの盃をあけておるというのに、顔色ひとつ変らぬ。とうてい齢《よわい》七十を越えた老人とは思えぬわ」

「いえ、臣はもうしたたかに酔うておりまする。まなこには炎が燃え立ち、耳には風が鳴いておりまする。おなごり惜しゅうござりまするが、足元の確かなうちに罷《まか》り出でとう存じまする」

「そうか――」

と、帝は御前太監《ごぜんタイチエン》を呼び寄せ、小声で何ごとかを命じた。太監は平伏したままにじり退がると、殿の下に控える小太監たちに甲高い声で伝えた。

「轎《かご》を持て！」

カスチリョーネは振り向いて、まばゆい入日に染まった前庭を見た。白大理石を張りめぐらせた石畳の上に、二輦《れん》の椅子《いす》轎《かご》が運びこまれた。

「これは……？」

「まもなく日も落ちる。轎を使うがよい」

「めっそうもござりませぬ。親しく龍顔を拝し、御酒まで賜ったうえ……伏してお願い申し上げまする。臣が城内を杏色《あんずいろ》の轎に乗って退出するなど、他の王侯の方々の目に触れましたら、いったい何と申し開きいたしましょうや」

乾隆は玉座から立ち上がると、あわててよろめき立とうとする老絵師の朝服の脇を支えた。

「朕は明朝、熱河《ルーホー》の離宮に向かう。案ずることはない、諸王も大臣たちもみなすでに都を発った」

城内がいつになく静まり返っていたのはそのせいであったのか。カスチリョーネは政庁のことごとくが避暑地に移動した後の城内に、皇帝ひとりが残されていることを訝《いぶか》しんだ。

「なにゆえ陛下おひとりが――？」

乾隆は老絵師の体を支えながら玉座を下りた。

「万歳爺《ワンソイイエ》、お立ち！」

御前太監《ごぜんタイチエン》が叫ぶと、平伏していた宦官《ホアンクワン》たちは鼠のようにあわただしく動き始めた。鉦鼓《しょうこ》が奏された。

「朕には、今宵やらねばならぬことがある。よって皆より遅れて出立することとなった」

「今宵――でござりまするか」

殿から歩み出ると、帝は老絵師の体を宦官に托して、階《きざはし》の上に立った。夕日に映える三殿の瑠璃瓦《るりがわら》を見上げ、大きな溜息をつくと、帝はふいにめまいに襲われたように円柱に肘を預けた。

介添しようとする宦官の手を払いのけ、乾隆は吐き棄てるように言った。

「きょう、香妃《シャンフエイ》が身罷《みまか》った。朕は、弔わねばならぬ」

カスチリヨーネは愕然と立ちすくんだ。香妃の肖像はつい先ごろ描きおえたばかりである。カンバスの前に座った香妃の、この世のものとは思えぬ美貌を思い起こして、老絵師は返す言葉を失った。

「香妃様が……何という……」

「母君が死を賜うたのじゃ。香妃はついに朕との契りを交わすこともなく、オイラートの虜《とりこ》として死んだ。香妃《シャンフェイ》とは呼べど、妃嬪《ひひん》に列せられていたわけではない。異族の虜など、誰も弔うてはならぬのじゃ。だから朕は、みなを出立させたのち、ひそかに香妃を送ろうと思う」

天子《ティエンツ》である帝が自ら虜囚を弔うなど、もってのほかであろう。しかし宮殿の柱に身をもたせかけた帝の目が力なく自分を見つめたとき、カスチリョーネは口に出しかけた諫言《かんげん》をひるがえしていた。

「わたくしめが、ご一緒させていただきます、陛下」

帝の足元に跪《ひざまず》き、カスチリョーネは自分が今日ここに召された真の理由を知った。

「頼むぞ、老師。香妃の信じたアッラーの弔いの儀を、朕は知らぬのじゃ。さりとて、朕を許すことのなかった香妃は、われらが韃靼《タルタル》の儀式など潔しとはせぬであろう」

カスチリョーネは老いた掌を胸に組んだ。

「わたくしめにできることがありますれば、何なりと――」

「そちの祈りで、香妃の魂を天に送り届けてもらいたい。アッラーの神は許すであろうか。されど、祖国を攻め滅ぼした仇敵の儀式に則《のっと》るよりは、ましであろうと思う」

「御意にございまする。香妃様の魂は耶蘇のお導きにより、すべからくアッラーの神の御許に送られることでございましょう。心をこめて、お祈り申し上げまする」

乾隆はひとこと「好《ハオ》」と呟き、欄干に身を支えながら階《きざはし》を下って行った。酩酊を装いながら、帝が決して酔ってはいないことにカスチリョーネは気付いた。自分も酔い切らぬほどのわずかな馬乳酒で、豪気健啖《けんたん》な帝が足元も覚束《おぼつか》ぬほど酔うはずはなかった。帝は憔悴《しょうすい》を隠すために笑いかつ語り、つい今しがたはあたかも酒量が過ぎたような物言いをしたにちがいなかった。

その馴れぬ不器用さが、カスチリョーネを泣かせた。

夕日に輝く龍袍《ロンパオ》も、錦糸の刺繡に飾られた肩掛も、黒貂《くろてん》の冠も、まるでうちしおれた帝の体にのしかかるように見えた。

(愛《アイ》――那是甚嗎《ナアシイシエンマ》？)

愛とは何かと、真顔で宦官《ホアンクワン》たちに訊ねた帝の声が、カスチリョーネの胸を抉《えぐ》った。誰もが答えず、答えようもない問いであった。

愚かな問いにちがいないと気付いた乾隆帝の、少年のような恥じらいの表情は、未完の肖像画のように老絵師を苦しめた。

十八

紅色の壁に囲まれた内廷の道を、二輦《れん》の椅子轎《いすかご》は進んだ。

遥かなゴビ砂漠の涯《はて》、イスラムの国からからめとられてきた香妃《シャンフェイ》と、老絵師の縁《えにし》は深かった。

カスチリョーネは香妃にとって、身ぶり手ぶりのトルコ語を通わすことのできる、ただひとりの話相手であった。香妃はカスチリョーネと言葉を交わすためにのみ、しばしば円明園の画室を訪れていたにちがいなかった。

二人きりになると、香妃は嬉々として語らい、また虜囚の身を嘆いた。言葉が通じ合うばかりではなく、同じ異邦人としてのカスチリョーネにのみ、閉ざされた心を開いていたのであった。

香妃が亡くなられた——。

美しい肖像画が甦ると、老絵師の胸の暗渠《あんきょ》は広がった。このくろぐろとした心の闇、この喪失感は何としたことであろうか。

遥かな天山の北、ロシア、アフガンに接する広大な草原に蟠踞《ばんきょ》していたジュンガル王国が征服されたのは、八年前のことである。

清の大将軍兆恵《チャオホイ》は度重なる激戦の末、ついにジュンガルの本拠イリを陥とし、最後まで抵抗したイスラムの英雄ホージャ・ジハーンをバダクシャンの草原に敗死させた。

イリ河畔に追いつめられたホージャ・ジハーンの本営は渡河地点を探しながら北に逃れた。勇将兆恵は自ら追手の先頭を駆けて矢を射かけ、オイラート族の残兵を次々と倒した。

掃討戦を終え、駒を返そうとしたとき、兆恵の将旗めがけてアッラーの御名を叫びながら、勇敢な一騎が突進してきた。

迎え撃とうとする兵を諫《いさ》め、兆恵は少しもひるまずに馬上に弓を引くと、みごとに敵を草原に射落した。

しかし、鋼《はがね》の西洋甲冑《かっちゅう》に身を鎧《よろ》った敵に歩み寄り、剣を抜いてとどめを刺そうとした兆恵は、甲《かぶと》の下から現れた武者の顔を見て愕然《がくぜん》とした。

それは栗色の髪をなびかせ、青い瞳を輝かせたうら若き美姫《びき》だったのである。駆け寄った兵たちはみなその美しさに目を瞠《みは》り、同時にその体からえも言われぬかぐわしい香気の漂っていることに気付いた。

ジュンガルの英雄ホージャ・ジハーンの妻、イスラムの香りと称されて噂の高かった王妃は、こうして韃靼《タルタル》の虜《とりこ》となった。

兆恵《チャオホイ》将軍はこの美姫を乾隆帝のもとにつつがなく送り届けるために、あらゆる心を摧《くだ》いた。

白い肌を香草と白絹とで幾重にもくるみ、厳重な警護をつけて万里の長沙《ちょうさ》を越えた。

乾隆二十五年四月、大将軍兆恵は鎧も解かぬまま、戦勝報告のため円明園に向かった。

ジュンガル征服は康熙帝の御世からの懸案であった。父祖三代にわたる長い軍人生活のほとんどを、この討伐戦に明けくれてきた将軍にとって、それは生涯もっとも栄誉ある凱旋であった。

その場に及んで征討軍の幕僚たちの間では、はたしてこの珍奇なる戦利品を献上すべきかどうかとの意見が交わされた。

兆恵将軍は目に一丁字もなく、妻子すらも持たぬ武弁である。そして乾隆帝もまたさほどに艶福な皇帝ではなく、ことに皇后富察氏《ホアンホウフチャ》に先立たれた後は、長く閨事《けいじ》を遠ざかっていると聞く。

将軍が要領をわきまえぬ献上をし、皇帝もまた御嘉納にならぬという事態を、幕僚たちは恐れたのであった。

しかし、彼らの不安は杞憂であった。

御前に運びこまれ、白絹の被《おお》いが解かれたとたん、乾隆帝はその美しさに心を奪われ、魅《ひ》き寄せられるように玉座を下りたのである。

「好《ハオ》――美しい。この栗色の髪は、まるで駿馬《しゅんめ》のたてがみのようじゃ。この青い瞳は、まるで西域の涯にあるという、バルハシ湖の淵のいろじゃ。ああ、そしてこの香りは何であろう。朕はまるで、風の渡るアフガンの高原に、この姫とともにおるような気がする――名は、何と申す」

皇帝に細い顎を支えられたまま、虜は顔をそむけた。帝の問いに、兆恵も幕僚たちも答えることはできなかった。ジュンガルの王妃は囚われてから一度も、口を開こうとはしなかったのである。

「さもあろう。朕はそちの国を滅ぼし、そちの夫を弑《しい》した仇《かたき》であろうからな。ではこれより、そちを香妃《シャンフェイ》と名付けよう」

香妃は美しい眉を吊り上げ、見知らぬ異国語で激しく罵りながら、乾隆の衣に唾を吐いた。

愕《おど》いて虜の襟首を引き寄せた兆恵《チヤオホイ》の手を、帝は微笑みながら押しとどめた。

「よい、かまうな兆恵。香妃《シャンフェイ》の胸のうちは怨嗟《えんさ》にたぎっておることであろう。それは道理じゃ。朕は待とう。香妃の怒りが鎮まるまで」

カスチリョーネが御前に召されたのは翌日のことである。帝は香妃の傷心を慰めるために、およそ考えつく限りのことをカスチリョーネに命じたのだった。

カスチリョーネの設計になる円明園の西洋楼をイスラム風に改築し、香妃を住まわせること。その隣地に寺院《モスク》を建てること。配下の絵師をジュンガルに派遣して風景を写生せしめ、壁画として描くこと。そして帝のかたわらに置くための香妃の肖像画を作成すること。

カスチリョーネは香妃のために、力を尽くしてそれらの事業をなしとげた。

しかし涙ぐましい努力を続ける乾隆帝に対し、香妃は決して笑顔を見せることがなかった。帝は朝な夕なに香妃の館を訪れ、衣や宝石を賜《たま》い、手の届かぬ場所からその姿に見惚《みと》れ、そしていつも、失意のうちに去った。

まるで意のままにならぬ香妃に操をたてるようにすべての妃嬪《ひひん》を遠ざけ、寝室に貼りめぐらされた香妃の肖像画とともに眠った。

香妃の意志は固かった。あちこちから呼び集められた回教徒たちの説得も効を奏さず、まじないも媚薬も、香妃の心をひるがえすことはできなかった。

「願わくばわが身に死を賜らんことを」

香妃が帝に向かって口にする言葉は、そればかりであった。

その冬、帝は敬思殿にトルコ式の浴場まで造り、とうとう新華門に重層の楼閣を築き、そこから南海を隔てて見はるかす長安街の一角に、トルコ族の集落までありのままに再現したのだった。

都人たちは突如として京師のただなかに出現した異国人街に愕いたが、実はそこに往き来する異人たちも、石畳の街路やモスクも、回教徒たちの唱えるコーランも、賑《にぎ》やかなバザールの風景もふしぎな物産も、すべては楼閣から眺める香妃のために用意された、壮大で精密な造りものだったのである。

乾隆帝の虚しい努力は、八年も続いた。

闇にまぎれて、乾隆とカスチリョーネの轎《かご》がひそかに運ばれたのは、唯一天主教に寛大であった康熙帝がかつて下賜した、西安門外《シーアンメンワイ》のイエズス会北堂の前であった。

教堂の庭には雑草が生い繁っていた。

多くの宣教師たちが去り、礼拝する教徒もいない教会は、敗れた布教のしるべのように、その無意味で荘厳な姿を晒《さら》していた。

カスチリョーネは帝の後に随《したが》って石段を昇った。わずかに残る修道士たちが松明《たいまつ》をかかげて、二人きりの会葬者の足元を照らしていた。

香妃《シャンフェイ》の亡骸《なきがら》はすでに純白の絹にくるまれ、祭壇に横たわっていた。

「何と、お美しい……」

カスチリョーネは思わず溜息をついた。香妃の死顔はまるでジュンガルの花園に横たわるかのように微笑んでいた。

「美しいであろう。かようにも香妃は、死を希《ねご》うていたのであろうか。妃の欲していたものは、死ばかりであったというのか」

ためらいがちに死顔の頬に触れ、帝はそうひとりごちた。

「わが母太后《タイホウ》が、ついに香妃の希いを聞き届けられたのじゃ。母のなされたことゆえ、朕には抗《あらが》うべき言葉もない。香妃は太后の御前にて、嬉々として毒杯を呷《あお》いだという。——香妃はとうとうオイラートの王妃として死んだ。教えてくれ、老師。この死顔の美しさはいったいどうしたことなのじゃ。毒に五臓を灼《や》かれ、五体の血を吐きつくして死んだ者が、なにゆえかくも美しくあるのか」

カスチリョーネは答えねばならなかった。

「謹んでお答え申し上げまする、陛下。香妃様はこの世で最も誇り高い死をお選びになられました。その誇りが、香妃様の死せるかんばせを、かようにも美しく見せるのでございましょう」

ああ、と乾隆は堂の天井を見上げ、清浄な大気を震わせて嘆いた。

「朕の真心を容れぬことが、香妃の誇りであったというのか。万両の銀を費し、万人の臣をかしずかせ、朕はこれ以上、どうやって香妃の歓心を得ることができたであろう」

カスチリョーネは帝の足元に跪《ひざまず》いて叩頭《こうとう》した。

「陛下の大御心《おおみこころ》は天地無窮にございまする。香妃様は陛下の大いなる真心に送られて、天に昇ったのでございまする」

「ちがう。それはちがうぞ、老師！」

と、乾隆は身をわななかせて叫んだ。

「真心のありようなど訊いてはおらぬ。愛新覚羅《アイシンギョロ》の阿哥《アーゴ》と生れてこのかた、朕の望んで手に入らぬものはただのひとつもなかった。四海をわがものとし、五族をまつろわせたる朕に、なにゆえ香妃《シャンフェイ》の心ばかりが手に入らなんだ。答えよ老師」

乾隆の苦悩がただ一点の無知から生じていることを、カスチリョーネは気付いていた。どうしても帝の手に入らぬもの、それはあの紅色の壁のうちにはなく、城外の巷にはたとえどのように貧しい胡同《フートン》にも、石ころのように転がっているものであった。

そしてそのありようを帝に教え訓《さと》すことは、いかなる諫言《かんげん》をなすよりも難しい。

「お答え申し上げまする。何びとも、人の心を金品で購《あがな》うことはできませぬ。これは人の人たる所以《ゆえん》でござりまする」

「ならば訊く。そちたちは父祖の代より西洋の珍品を献じて、われらが歓心をひこうとしたではないか。朕の心を物で購おうとしたではないか」

「御意にござりまする。われらは布教の公許をかち得るために財物を献じ、星を読み、噴水を作り、絵を描いて参りました。されど陛下も御父上様も、その対価を弾圧と迫害とで支払われました。財物の全能でないことは、このおいぼれが誰よりもよく存じておりまする」

「ならばなぜそちは嘆かなんだ。他のバテレンはひそかに帰国し、あるいは迫害に殉じたではないか。なにゆえそちだけが、今日までその老残の身をわが前に晒《さら》し、あまつさえわが意に加担し、香妃の歓心をひこうとしたのじゃ」

それは——なぜであろう、とカスチリョーネは考えた。答は明らかであった。自分はいつしか布教の使命を忘れ、ヨーロッパの画壇に帰る夢も忘れ、この珠のごとき韃靼《タルタル》の皇子に、知と徳とを体現したこの英主に魅せられていたのだ。いまや乾隆帝はカスチリョーネにとって、目に見える神そのものであった。

「答えてくりゃれ、老師」

平伏するカスチリョーネの頭上で、帝の拳が慄《ふる》えていた。神ゆえの無知、神ゆえの孤独に、乾隆の体はわなないていた。

「昇天の儀を、行いとう存じまする。陛下」

カスチリョーネは朝服の襟から銀のクルスを抜き出し、帝の問いをはぐらかした。

老絵師と北堂の助修士たちの手で儀式の行われる間、皇帝は祈るでもなく嘆くでもなく、じっと遺骸のかたわらに佇《たたず》んでいた。

祈りを捧げながらカスチリョーネは、時おり皇帝の様子を窺《うかが》った。まるで重大な軍議を計るような思惟《しい》を、聡明な帝はめぐらしているように見受けられた。

「これにて、香妃様の魂は天に召されました」

カスチリョーネがミサの終了を告げると、皇帝は満足げにひとつ肯き、遺骸の枕元に立った。

香妃《シャンフェイ》のうなじを抱き起こし、豊かな栗色の髪を指先でくしけずりながら、乾隆帝はたおやかな天子《ティエンツ》の声で言った。

「朕はただいま全知を傾け、愛なるもののありようを理解した。朕は香妃を愛し、香妃は亡きホージャ・ジハーンを愛した。愛の前には百万の軍も敵せず、愛にはいかな黄金も宝玉も値《あたい》せぬ。すなわち、天下は虚しい」

帝を送り出したのちもカスチリョーネは北堂に残り、夜をこめて敬虔《けいけん》な祈りを捧げた。

静寂を破ってときならぬ嘶《いなな》きが響いたのは、洞々《とうとう》と夜の更けたころである。燭台《しょくだい》をかざし、礼拝堂の大戸を開いたカスチリョーネは、おびただしい松明《たいまつ》と甲冑の輝きに目を射られた。

乾隆帝は黄緞《おうどん》に金糸をぎっしりと打った大閲《だいえつ》用の大鎧を身に纏《まと》い、たくましい斑《まだら》馬《うま》の鞍《くら》の上からカスチリョーネを見上げた。

「ともに来よ、郎世寧。朕が命を聞け！」

乾隆は朱の矢羽をつらねた箙《えびら》を鞭の柄で叩き、うって変った陣頭の声で命じた。

文人皇帝の面影は毛ばかりもない、尚武の気に充ち満ちた韃靼《タルタル》王の姿であった。

背後には松明をかかげ矛をたばさみ、正黄旗を翻した騎兵が轡《くつわ》を並べていた。

赤ぞなえのひときわ立派な鎧を纏った一騎が、空馬をカスチリョーネの足元に曳いてきた。

「陛下のお召しであるぞ。ともに来られよ」

松明に照らし出されたその顔を見て、カスチリョーネは思わず声に出した。

「兆恵閣下《チャオホイ》――」

白髯《はくぜん》が胸元まで垂れ、見るだに怖ろしげな隻眼《せきがん》はまぎれもなく大将軍兆恵である。

軍神の誉れ高い兆恵が都を去って奉天大将軍に任ぜられてから数年が経つ。将軍は老齢のため征討大将軍を免ぜられてからも剣を擱《お》くことを潔しとはせず、自ら願い出て韃靼の故地、盛京奉天府の鎮撫《ちんぶ》将軍に封ぜられているはずであった。

「いったい、これは何ごとでございまするか」

兆恵は老いた顔に不似合いな武張った体をぎしりと軋ませ、立ちすくむカスチリョーネを督促した。

「来られよ、老師。すでに余命いくばくもないわれらに格別の思し召しじゃ。無上の光栄ぞ」

陛下はこのうえ自分に、何をお命じになるというのであろう――。

わけもわからぬまま馬に跨《またが》ると、まるで絵巻物のような騎馬の一隊は、蹄《ひづめ》の音を忍ばせて闇の中を進み出した。

都は寝静まっている。

辻々には篝《かがり》が焚かれ、警備の衛士《えじ》が立っていた。一行が近付くと、彼らは玉体を見ることを畏れて背を向けた。訝《いぶか》しむ者のないのは、彼らがあらかじめこの深夜の行幸のために配されているからにちがいない。

やがて官衙《かんが》の並び建つ東長安街に入り、先頭の騎馬が松明を振って駒を止めた場所は、翰林院《ハンリンユアン》と裕親王府に挟まれた古めかしい門前である。門の左右には艶やかな紅牆《こうしょう》が繞《めぐ》っていた。

「ここは？」

カスチリョーネは馬上で兆恵《チャオホイ》将軍に訊ねた。甲《かぶと》の口被《くちおお》いの中のくぐもった声が答えた。

「堂子《タンツ》じゃ――」

「堂子？　……ああ、ここが。五十年も都に住んで、ここが堂子だとは存じませんでした」

「異人が知る必要はあるまい。ここはわれら韃靼《タルタル》族の祀りの場、漢人すらも足を踏み入れたことはない」

堂子という満洲族の祭壇の存在は聞き知っていた。

征服王朝である清は、天命に則《のっと》って四百余州を統治するという漢土の伝統に従い、明王朝の祭祀をそのまま承継した。清の皇帝は明帝たちがそうしたのと同様に、外城の天壇に詣でて祭祀を行ったのである。

しかし、この偉大なる征服王朝はすべての文化と制度を先朝から継承しつつも、彼ら固有のしきたりを決して捨てることはしなかった。

漢語をいち早く学びながらも公式文書には必ず韃靼語を用い、詩作や経学に励みながらも、一方では騎射や狩猟の術をおろそかにはしなかった。

そして漢族古来の天壇を祀りながらも、原始的な韃靼の祈りを忘れることはなかった。その秘められた祭祀の場こそが、「堂子」と呼ばれる聖域である。

騎兵たちは松明をかざしたまま、堂子の門前に轡を並べた。

風はそよとも動かず、夜気は湿っていた。朝服の背に汗の滴りを感じながら、カスチリョーネは帝と将軍に従って馬を下りた。

それにしても、この静けさは何としたことであろう。

紅色の門扉の前に人影が蹲《うずくま》っていた。冠には一品《いっぴん》の宝玉が輝いている。

帝の行手を阻《はば》むかのように叩頭し、裕親王は奏上した。

「皇上陛下《ホァンシャン》に申し上げます。堂子《タンツ》は愛新覚羅《アイシンギョロ》一族たる紅帯子《ホンタイツ》、および太祖公の裔《すえ》たる黄帯子《ホワンタイツ》家当主しか足を踏み入れることはできませぬ。これより先は私めがお伴いたしまする。兆恵《チャオホイ》将軍、郎世寧老師にはお控えなされますよう」

いかにも隣り合せた親王府から駆けつけてきたふうである。帝はこの忠節な皇族に向かって、いちど鷹揚に肯き返した。

「禁忌《きんき》は承知の上じゃ。さがりおれ」

「しかし、陛下――」

「たとい一品の親王といえどもこの儀には無用じゃ。朕が命は天の命である。天がこの者たちを堂子に招じ入れるのじゃ」

裕親王は恐懼《きょうく》してあとずさり、道を開いた。

「本日ただいまのこと、決して口外してはならぬぞ。よいな」

そう言い残すと、帝は衛士に命じて門を開かせ、将軍と老絵師のみを従えて堂子に足を踏み入れた。

兆恵将軍のかざす松明が、白砂を敷いた堂子の庭を照らし出した。

扉が重い響きを残して閉ざされた。清浄な神気が闇に満ちていた。

「ここに足を踏み入れる異人は、おそらくそちが最初で最後であろうな」

皇帝の言葉にカスチリョーネの体はこわばった。見知らぬ韃靼《タルタル》の神々が闇の中のそこかしこにじっと座しているように思われた。

鎧の触れ合う音だけが、静まり返った庭にこだました。

純白の道の先に、八角形の古い堂があった。帝は階《きざはし》の下に跪《ひざまず》き、しばらくの間許しを乞うように祈りを捧げた。

ふいにあたりが、かっと明るんだような気がして、カスチリョーネは振り返った。堂子をめぐる紅牆《こうしょう》の上に、厚い雲居を払って満月が現れていた。あかあかと燃えるような月である。

「見よ。天が嘉《よみ》せられておる」

帝は鎧を鳴らして階を昇り、堂の扉を開けた。

松明に浮かび上がった堂の形や堂内の様子が、皇城内のものとは全く異っていることにカスチリョーネは愕いた。そこには彼が五十年の間親しんできた極彩色の装飾はかけらも見当らなかった。古木でがっしりと築き上げられ、重厚な鋼と赤銅とで飾られた、韃靼《タルタル》の祭壇であった。

「これは――」

剛気朴訥《ぼくとつ》な尚武の意匠、とでも言うべきか。老絵師は深い感銘を受けた。

「どうじゃ、老師。これこそがまことの、われらが色と形じゃ。漢族の絢爛《けんらん》はわれらが仮の衣に過ぎぬ」

松明《たいまつ》をかかげて片膝をつく兆恵《チヤオホイ》将軍の姿が、まるで堂内に据えられた彫像のように見えた。

祭壇にはひとかかえほどの大きさの、神《かむ》さびた楠《くすのき》の箱が置かれていた。帝は壇に昇ると、剣と甲をかたわらに解き、韃靼ふうに足を組んで座った。

それから見覚えのない動作で長い拝礼をし、古い韃靼語の経文を唱えた。

「近うよれ――」

弁髪を垂らした鎧の背を伸ばし、皇帝は振り向かずに命じた。

兆恵将軍は堂の戸口に跪いたまま答えた。

「あまりに畏れ多いことにござります、陛下。太祖公の血も享《う》けぬ臣めが、御神位を覗き奉りますなど——たちまちにして残る片眼すらも潰れ、五体は砕け散ることでござりましょう」

「怖るるでない、兆恵。そちは我にまつろわぬ夷狄《いてき》を平らげた満族の誇りぞ。朕が命ずるのじゃ、近うよれ」

将軍とカスチリョーネは息を詰め、身を慄わせて祭壇に昇った。二人が両脇に侍るのを待って、皇帝はおもむろに楠の箱の蓋《ふた》を開いた。

そのとたん、カスチリョーネは激しい輝きに目を射られて踏みこたえた。たしかに両眼が潰れたのだと思った。

「見よ。これこそが龍玉《ロンユイ》ぞ。天下をしろしめす者のみしるし、天命の具体じゃ」

それは赤児の頭ほどもある金剛石であった。満身からおびただしい七色の光を発し、澄明な気を放ち、低く微かな唸《うな》りをあげる、巨大なダイアモンドであった。

兆恵将軍は龍玉の発する光に気圧《けお》されるように後ずさり、松明をふるって火を消した。しかし龍玉のふしぎな輝きは少しも奪われず、むしろ堂内をさらなる七彩の光明に満たした。

「龍玉を手にする者はすべからく天下を治める。堯帝の昔より朕に至るまで、中原《ちゆうげん》の覇者たる者の手に連綿と承け継がれてきた。しかし天の認めざる者の手には決して落ちぬ。手にすればその者はたちまち滅びる」

語りながら乾隆帝は、悲しげな目を龍玉《ロンユイ》に向け続けていた。

いったい帝は、自分と兆恵《チヤオホイ》将軍に何をお命じになるのであろう——カスチリョーネの胸は高鳴った。

帝は楠の箱に手をさし入れると、紫の絹の台座ごと、龍玉を胸に抱いた。

「だが、朕は知った。そもそも、天下は虚しい」

龍玉は乾隆帝の腕の中で、生ける者のように光を増し、気を発し、低く唸り続けていた——。

十九

大清国光緒十二年・西暦一八八六年　夏

礼部右侍郎《れいぶうじろう》・楊喜楨《ヤンシーチエン》が久しぶりに東長安門外の翰林院《ハンリンユアン》を訪ねたのは、暑い夏も終ろうとする日の夕刻であった。

楊は多忙である。文部次官のほかに若き皇帝の師傅《しふ》も兼務し、いずれの上司同僚も彼に頼りきりであるうえ、関係のない役所からもしょっちゅう書式についての質問や文章の添削が寄せられる。根が生真面目なうえに拒否することのできぬ性格だから、すべての仕事をやりおおすためには朝の暗いうちから登城し、夜も更けたころに帰宅せねばならない。

光緒帝と西太后《シータイホウ》が避暑地の熱河《ルーホー》離宮から帰ると、待ち構えていたように上奏文が氾濫するのである。

ことに、切れ者で知られる恭《クン》親王奕訢《イーシン》が失脚して、醇《チュン》親王奕譞《イーシュアン》が宰相となってからは仕事の量が倍になった。彼は兄の恭親王とはちがい、ひどく神経質で几帳面で、これが本当にあの乾隆大帝のひ孫なのかと誰もが思うほど、優柔不断なのである。

本来はとうてい宰相の器ではないのだが、光緒帝の実父であり、西太后《シータイホウ》の妹を妻としているという気の毒な事情から、やり手の兄恭《クン》親王の跡を襲《と》らざるを得ないはめになった。当然西太后には頭が上がらず、兄が失脚した経緯も目のあたりにしているので、いよいよ各官衙《かんが》からの文書には神経質なのである。そのうえ昨年終結した清仏戦争の戦後処理という大問題を抱え、ただでさえ過敏な宰相の神経はすでに普通ではなかった。

上奏文は西太后の垂簾《すいれん》に届けられる前に、必ずと言って良いほど醇《チュン》親王の手で差し戻される。で、推敲《すいこう》に弱り果てた役人たちは、みな礼部衙門《がもん》に楊先《ヤンシエンション》生を訪ねることになる。

そのようなわけで、翰林院《ハンリンユアン》に出仕する新任官吏たちを訪ね、督励するという彼本来の仕事も、延び延びとなっていたのであった。

「急がずとも良い。なるべく揺らすな」

と、楊喜楨《ヤンシーチエン》は例の文語調で従者に命じた。このところ激務がたたって胃の具合が悪く、轎《かご》にも馬にも酔ってしまう。やはり漢方医の煎じ薬はあてにならぬ。帰りにお忍びで翰林院の隣の英国領事館に寄り、顔見知りの医者に良い薬を調合してもらおう、と楊先生は吐き気をこらえながら考えた。

翰林院は乾隆帝の事蹟編纂《へんさん》事業に大わらわであった。

清仏戦争の真最中に、西太后が突然思いついたように言い出した大事業である。乾隆帝の事蹟をしのび、その威光を復唱することで「強い大清帝国」の復権を計ろうというその企画は、まあわからぬでもない。だが現実はそれどころではなかろう、とあわただしく文書の行き来する廊下を歩きながら、楊先生は考えた。

四十数年前のアヘン戦争以来、諸外国との紛争は絶えたことがない。それらはみな捏造《ねつぞう》された言いがかりによって始まり、莫大な賠償金の支払と不平等条約の締結で終わった。どのような理由であれ、一発の大砲を撃ちこめばこの国は慄《ふる》え上がり、そのつど金銀と利権が手に入ることを、諸外国は承知している。このまま行けばいずれ遠からず、都が火の海になるような大戦争が起こるであろう。あるいは列強の支援を受けた革命が。

絶対君主を戴くこの国が危難を乗り切るためには、賢帝の出現を待たねばならない。しかし入関以来、順治、康熙、雍正、乾隆と続いた英主は、まるでその後ぷっりと血脈が途絶えたかのように凡庸《ぼんよう》になった。あとは旧帝たちの蓄積した財産を食い潰しているようなものだ。

嘉慶、道光、そこまではまだ良い。しかし先々代の咸豊帝になると病弱なうえ、全く政治に興味を示さず、側室の西太后《シータイホウ》にすべてを任せた。先代の同治帝に至っては夜な夜な紫禁城《ヅチンチヨン》を脱け出して御乱行の末、とうとう脳梅に罹《かか》って死んだという噂だ。かくなる上は幼くして即位した光緒帝が、康熙乾隆の血を享《う》けた英主であることに期待するほかはあるまい――。

扉が開いて、楊喜楨《ヤンシーチエン》の来訪を予期していたかのように老学者が首を突き出した。

「やあやあ、これは楊先生《シエンシヨン》。お寄りなさいな、お茶でも進ぜましょう」

大先輩にあたる老人である。楊が同治年間に状元《じようげん》で登第を果たしたころ、すでに翰林院《ハンリンユアン》編修の役職にあったものが、十五年の歳月を経た今でも同じ肩書のまま、この薄暗い研究室にたてこもっているのである。

「これは先輩。ご不沙汰いたしております。先輩に先生などと呼ばれるとは汗顔の至り、どうぞ昔のまま、楊君とお呼び捨て下さい」

楊先生がそう言って丁重に礼をすると、老学者は誇らしげに、廊下を行き来する官吏たちを見渡した。もちろん思慮深い楊先生には、自分が頭を下げることでこの気の毒な先輩の株を上げてやろうという思いやりがある。

依然として胃は重い。

「それでは、あまり長居はできませぬが、お言葉に甘えて――」

と、研究室に入ったなり、楊は仰天した。書類の詰まった行李が堆《うずたか》く積み上げられ、身動きもできぬほどに室内を占領しているのである。それも、とうてい保管してあるというふうには見えない。老学者の校閲を受けるために持ち寄られた原稿が、まったく無秩序に増殖している。

楊が室内を見回して呆れている間にも、後から入ってきた胥吏《しょり》が物も言わずにどさりと行李を置いて行く。

「どうやら最後のご奉公になるようだが、いやはややりおおす自信はない。真武大帝様の御偉業にも今さら舌を巻くばかりですな」

「はあ……しかし、すごい量ですね」

「これでもまだほんの一部なのです。でき上がった順に礼部の方に回しますので、その節はよろしく」

楊喜楨は強い吐き気を感じた。そのことを考えていなかったのはうかつである。

当然の手順として、翰林院が編纂《へんさん》した文書は礼部にも回覧されてくるだろうし、西太后の発意による事業なのだから最終検閲はすべて自分ひとりにかかってくるのだ。

「ただいま茶を運ばせますでな」

老学者が手を打って胥吏を呼ぼうとするのを、楊先《ヤンシエンシヨン》生は片手で口をおさえながら固辞した。

「少々胃の具合が悪いので、この数日茶は断《た》っております。やはり次の機会に……」

楊喜楨《ヤンシーチエン》はそう言うと文書の山を蹴ちらかして廊下に飛び出し、厠《かわや》に走った。

乾隆帝が「真武大帝」という神がかった名で呼ばれるようになったのはいつからのことであろうか。乾隆はこの国の栄光そのものであり、この国の最も若い神であった。

百年の時間は、いまだに乾隆帝という巨大な器の中で流れていると言っても良かった。乾隆の描いた版図の中で、乾隆の定めた法に則《のつと》り、乾隆の指し示した通りの慣習を、人々は忠実に続けていた。

宮廷にも官衙にも、至る所に乾隆帝の御筆が飾られ、二言目には「真武大帝様はこうおっしゃられた」、と言うのが、皇族はじめ旗人たちや官僚たちすべてのならわしであった。

どこの役所でも会議が紛糾したときは、大臣がかしこまって、「実はけさ方、真武大帝様が夢枕に立って、こう告げられたのだ」、と言えば、それでおしまいであった。

この際「孔子様が」とか「太祖公が」と言っても陳腐なばかりで効力はないのだが、乾隆帝は制度上あきらかに生きているので、個人の意志を押し通す絶好の口実になりうるのであった。この手段はもともと優柔不断で意志薄弱な醇《チュン》親王奕譞《イーシュアン》が使い始めたのだが、便利な方法なものだからじきに大臣たちの間にも広まった。

要するに、乾隆帝は誰にとっても霊験あらたかな神なのであった。

厠を出ると、楊喜楨は居ずまいを正し、もとの謹厳な顔に戻って楼閣へと向かった。

翰林院《ハンリンユアン》と英国領事館の境に建つ古い楼閣に昇ると、すぐ後を追うように三人の若者がやってきた。

楊先生は儒学の泰斗であるにも拘《かかわ》らず、しゃちこばった挨拶が苦手である。呼び出された三人の新任官吏は、あらかじめそのことを承知していたようで、部屋に入るなり膝を折って簡単な礼をした。

「どうかね諸君。少しは慣れたかな」

後ろ手を組んで薄暗い部屋を歩き回り、楊先生《ヤンシエンション》は自ら楼の窓を開けて、たそがれの日を入れた。

「毎日、目の回るような忙しさで、慣れたかどうかも良くわかりません」

と、物静かな声で答えたのは第一等「状元《じょうげん》」で登第した梁文秀《リアンウェンシウ》である。酒飲みであるとか品行に問題があるとか、とかく妙な噂のあった男だが、答案の出来映えは卓越していた。背が高く、顔立ちも端正で、いかにも品のよい士大夫《したいふ》の風貌である。

「畏れ多くも着任早々、真武大帝の御事蹟を編纂し奉るとは、光栄でございます」

と答えたのは、第二等「榜眼《ぼうがん》」の順桂《シュンコイ》である。なで肩の白面は、いかにも満洲貴族の御曹子という趣きで、父は満軍鑲紅旗都統《じょうこうきととう》、祖父は山西巡撫《さんせいじゅんぶ》を務めたという名門の出である。もちろんそうした出自と試験の成績とは一切関係はない。一族の進士たちと同様に彼もまた、実力で登第を果たした。これもまた、なかなか見所のある若者である。近ごろではすっかり失われてしまった韃靼《タルタル》人特有の生真面目さと実直さが、その答案からははっきりと感じ取ることができた。顔付きも風采も、まさにそのままである。

「私は、ひとつ楊先生にお訊ねしたいのですが――」

と、肚の据わった濁声《だみごえ》で言ったのは、第三等「探花《たんか》」で及第した王逸《ワンイー》である。

「何かね？」

「御事蹟の編纂はたしかに有意義な事業ではありますが、現在の情勢を考えまするに、はたしてこのような文化事業に血道を上げている場合かどうか、と……」

「言葉には気をつけたまえ。王逸君」

眉をひそめてたしなめたが、むろん楊先生は胸の中で「好《ハオ》」と肯《うなず》いている。言う通りである。誰しもが考えていることを、この場ではっきりと口にするとはなかなかのものだ。官僚としては不適格かも知れないが、少し角が取れ、その間に胆力を損うことがなければ、いずれこの国で最も必要な人材になりうるかも知れぬ。

楊先生は決して心のうちを覗けぬ鷲のような顔で、もう一度三人の若者を睨み渡した。

このように科挙の上位三名に、二十歳《はたち》そこそこの青年が名を列ねたことはかつてない。しかもこうして並べて見れば、いずれも明確な個性を持つ偉丈夫《いじょうふ》である。楊先生《シエンシヨン》はいつ見ても不愉快そうな、まったく近寄りがたい顔でひとりひとりを圧倒しながら、肚の中では快哉《かいさい》を叫んでいた。

「すでに数ヵ月の間、翰林院《ハンリンユアン》の職に就いている諸君らに、私が今さら言うことは何もない。あえてこの楼に呼んだのは、見せておきたいものがあったからだ」

楊喜楨《ヤンシーチエン》は引戸からさし入る光の中をすり足で歩き、広い楼室の隅に立った。そこには白絹を掛けられた三枚の画額が並んでいた。

少しぞんざいな感じで楊が白絹を開いて行くと、目を奪う鮮やかな写実の絵画が次々に現れた。

三人の若者は近寄ろうとしたなり、それぞれが立ち止まって目を瞠《みは》った。

どれも圧巻というべき、荘厳な絵である。

中央の一枚は、金色《こんじき》の甲冑《かっちゅう》を身に纏《まと》った騎馬の武者像であり、その隣に寄り添うように、朱の衣を着た美しい婦人の座像があった。少し離れた窓よりには、巨大で精密な合戦図が現れた。

武者は今にも黄金の画額を踏み越えて駆け出るかと見え、婦人像からは馥郁《ふくいく》たる伽羅《きやら》の香りが漂い出るようであった。合戦図からは馬の嘶《いなな》きや干戈《かんか》の響きが聴こえた。

「こちらが、大閲《だいえつ》の式における乾隆陛下の御尊像にあらせられる」

三人の若者は同時に膝をつき、叩頭《こうとう》して正面の武者像を伏し拝んだ。

楊先生は後ろ手を組んで、進士たちの間をゆっくりと歩き回った。

「左の一葉は『得勝図《とくしょうず》』と言う。乾隆帝がジュンガル回部を平定なされた折の戦勝の図である。右の婦人は、そののちに大帝がめとられたオイラート族の姫、御名を香妃《シャンフェイ》と伝えられる。この三葉の絵は帝にお仕えした郎世寧という異人の絵師が描いた。どうだ、すばらしい出来であろう」

三人の進士たちは跪《ひざまず》いたまま声もなく目を剝いていた。

「といいますと、百年も前の絵でございますか、これが……」

と、ようやく文秀が口にした。

「そうだ、まったく信じられぬ。まるで西洋の魔法を見る思いがする。郎世寧――イタリアのヴェネツィアという町からやってきた高名な画家で、本名をジュゼッペ・カスチリョーネと言う。終生を帝に寵愛されたその才覚は、絵画ばかりか命を受けて可ならざるものはなかったと伝えられる。たとえば円明園の西洋館や噴水、内廷に今も伝わる排気筒、百年の間、決して狂うことのない時計、さまざまのからくり人形、都の街路の整備やら用水、排水の設置、一年じゅう花の絶えることのない樹木の植栽。乾隆陛下は会う人ごとにこう仰言《おつしや》られたそうだ。周の文王も漢の武帝も持ち得なかった股肱《ここう》を、朕《ちん》は二つ持つ。ひとりは兆恵《チャオホイ》大将軍、ひとりは郎世寧老師である、となー」

三人は魅《ひ》き寄せられるように近付き、乾隆像に拝跪《はいき》してから三葉の絵をためつすがめつ眺めた。

「ううむ、これは驚いた。私は今、ジュンガル平定戦についての編纂にたずさわっているのですが、ううむ――万巻の書もこの一葉の絵の語るところには及びませぬ。乾隆陛下の御威光をこの合戦図は余すところなく描ききっております」

得勝図の前で何度も目をこすりながら、順桂《シュンコイ》は言った。

「しかし、先生《シエンシヨン》。兆恵将軍の武勇は今日もなお語りぐさではありますが、この郎世寧という絵師の名はとんと存じませぬ。私の不勉強でしょうか」

と、王逸《ワンイー》は問い質《ただ》すように榻を顧みた。

「うむ。良い質問だ。君の疑問は実に意義が深い」

「――と、申されますと」

「郎世寧はイエズス会の修道僧であったのだ。乾隆帝以後、この百年間の一貫した排外政策と洋滅思想のせいで、彼らの足跡はことごとく歴史から葬り去られた。だが、まさか乾隆帝の御尊像や、御事蹟を伝うるこの絵画を棄損するわけにはいかぬ。そこで郎世寧の名は消え、彼のもたらした技術の成果のみが伝えられておる、というわけだ。たしかに兆恵将軍と郎世寧は文武の両輪として乾隆陛下の治世を支え、御名を高らしめた。まさに比類なき股肱であったと言えよう」

そこまでを語ると、楊喜楨《ヤンシーチェン》は少し言い淀んで、夕まぐれの窓に歩み寄った。

「私見を申そう。後世の人々は徒《いたず》らに乾隆帝を神格化してしまった。これは決して好ましいことではない。乾隆帝を真武大帝と呼び習わすは、むしろ冒瀆《ぼうとく》であろうと私は思う」

楊の口から出た意外な言葉に、三人の進士は顔を見合せた。楊喜楨は朝袍《チャオパオ》の袖の中で腕を組み、いかにも江南の学徳にふさわしい明晰《めいせき》な論調で続けた。

「おそらくその香妃《シャンフェイ》の物語にしても、創作された神話であろうし、こちらの得勝図にしても、多分に誇張された風景にちがいない。そのように、乾隆帝の御事蹟は周囲の者の手でかえって修正され、歪曲《わいきょく》されていると私は思う。乾隆帝は、満、漢、蒙、チベットの四語に精通され、二十三年の歳月をかけて著録八万巻、存目九万余巻に及ぶ四庫全書の大編纂を行った。これは四海五族を平定する以上の御偉業にあらせられる。帝は古今の散佚《さんいつ》せる書物のことごとくを、永遠に後世に残されたのだ。その中には禁忌《きんき》とされていた耶蘇《やそ》教の訓《おし》えも、施政上排斥せねばならぬ史書や論文も多く含まれておる。つまり帝は宗教や思想や言論のすべてを、政治軍事にすべからく優先するものとして公式に編纂し、記録なされた。これは、古今東西いずれの君主もなしえなかった御偉業であらせられる」

楊喜楨《ヤンシーチエン》はゆっくりと乾隆の騎馬像に歩みよると、拝礼をするかわりに、学者らしい物静かな溜息をついた。

「私の学問は、いまだ四庫全書の範疇《はんちゅう》を出ることがない。そればかりか、すべてを読みかつ学ぶことは、生涯をかけてもまず不可能であろう。これほどの大事業を御手ずから、軍務や政務のかたわらになしとげられた乾隆帝は、明らかに人知の及ばざる天才にあらせられた。われらはみな、百年を経た今も帝の大いなる掌《て》の中にあるようなものだ。衆生《しゅじょう》はみな御仏の掌の中におり、天主教徒はみな耶蘇の愛に包まれておると説かれるが、われら学問を志す者にとって、乾隆帝はまさしく神であろう。すなわち、折から国威発揚の目的をもって、あるいは洋滅思想の象徴として帝をことさらに讃えるは、帝の御偉業に対する冒瀆にほかならぬ」

楊喜楨の発言は明らかに西太后《シータイホウ》の施政に対する批判であった。青年たちは胸を高鳴らせながら、ゆっくりと楊の言葉を咀嚼《そしゃく》した。

「少くとも、世の中は乾隆様のお考えになっていた未来とは逆の方向に向かって動いておる。それも怖ろしい勢いで。このまま突き進めば、待ち受けるものは破壊と殺戮《さつりく》、飢餓と流血の修羅場だ。それを阻《はば》むことのできる者は、諸君らの若い力でしかない。隣国の日本がわずか十八年前になしとげた鮮やかな維新は、旧来の陋習《ろうしゅう》にとらわれぬ若者の勇気と情熱の賜物である。すなわちすべからく国を開き、諸外国と相和して富国強兵の実を挙ぐることこそ、乾隆大帝のご真意に添い奉るということだ」

楊喜楨はひどく重大なことを、表情ひとつ変えずに言ってのけると、たちまち踵《きびす》を返して楼から下りて行った。

三人の進士たちは長い間、ぼんやりと立ちすくんでいた。体制の批判が禁忌とされる国の、最も権威ある官衙の一室で、当代随一と噂の高い大学者の口から出た思いがけぬ言葉は、彼らに身じろぎもさせぬほどの衝撃を与えたのであった。

にわかに空がかき曇ったと見る間に風が渡り、大粒の雨が回廊を叩き始めた。

水路を隔てた窓の外は、楠《くすのき》の大樹が生い茂る広い庭である。古びた紅色の壁に囲われた神々しいたたずまいが、稲妻に浮かび上がった。

引戸を閉めかけて、文秀《ウェンシウ》は驟雨《しゅうう》にたわみかかる楠の庭を見下した。

「そこは、誰のお邸だろう。ずいぶん立派だが」

画額に白絹の被《おお》いをかぶせながら、順桂《シュンコイ》が答えた。

「ああ、そこは堂子《タンツ》だよ」

「堂子——？」

文秀《ウェンシウ》と王逸《ワンイー》は聞き覚えのない言葉に顔を見合せた。

間近な雷鳴に、ひゃあと悲鳴を上げて屈《かが》みこんでから、順桂はいかにも満洲旗人らしい上品で色白の顔をもたげた。

「漢人の君らは知らないだろうけど、満洲族だけの祭壇さ。もっとも皇帝陛下と親王方しか入ることはできないんだが」

文秀はもういちど堂子の豊かな木立ちを見下した。紅牆《こうしょう》に沿って高垣のように繞《めぐ》る楠の大樹は、雨に打たれ風に薙《な》がれてもなお、神域を厚く蔽《おお》い隠していた。

二十

胡同《フートン》の闇には秋虫がすだき始めている。

近付けば鳴き止み、通り過ぎればまるで廃疾《はいしつ》の少年をあざわらうかのように、また鳴き始める。

春児《チュンル》は振り返って石を蹴った。

この都の中で自分が頼る場所は、文秀《ウェンシウ》の寄宿する静海《チンハイ》会館しかないとわかっていても、菜市口《ツァイシコウ》の盛り場を過ぎて会館街の一角に入ると、春児の足は重くなった。

腰にくくりつけた麻袋の中で、小さな瓶《かめ》がかたかたと鳴った。

しかし、文秀の愕《おどろ》きうろたえる顔を想像し、言うべき言葉も思いつかぬまま、結局うつむいて会館の門前をやりすごしてしまったのだった。

胡同から胡同へと、春児はまったく行き場を失って徨《さまよ》い歩いた。

風の凪《な》いだ闇は重く湿っており、ひどく蒸し暑かった。立ち止まれば、故郷からずっと歩きづめてきた疲れに押し潰されて、そのまま行き倒れてしまいそうな気がした。

男でなくなってからの数ヵ月は夢のように過ぎた。

腰と太腿を荒縄で縛り、迷うことなく鎌をふるい、傷口に白蠟《はくろう》の棒を押しこみ、悪い血を流すために歩き回ったことまではは っきりと覚えている。だが、力尽きて土間に倒れこんだその後の記憶は定かでない。母の悲鳴と妹の泣声を遠い耳に聴きながら、春児《チュンル》は気を失ってしまったのだった。

長いこと生死の境を彷徨い、息を吹き返してからも熱と痛みで輾転《てんてん》ところげ回った。田舎医者の黄《ホワン》に唾を吐きつけ、「春瘟《チュンウェン》じゃねえぞ、今度こそ春瘟じゃねえぞ」と怒鳴ったのは覚えている。

やがてぐったりと動く気力もなくなったころ、梁《リアン》家の執事がやって来て体を改めた。夢うつつに意外なことを聴いた。昔からのきまりごとで、自宮《じきゅう》した子供には銀五十両の褒美が出る、というのだ。勤め口がうまく見つかるかどうかは別として、いずれ皇帝にお仕えするために自ら希《ねが》ってそうしたのだから、とりあえず県城から給金のようなものが出る。「畏れ多くも民草の忠心を憐れんで、乾隆様がそうおきめになられたのだ」と、執事は仰々《ぎょうぎょう》しい声で告げた。

県城の役人は本当にやって来た。しかし枕元に置いて行ったのは、五十両の銀子ではなく、一袋の銅貨と新しい麻の袍《パオ》だった。

「没法子《メイファーツ》だねえ」と、母はわずかな銅貨を数えながら呟いた。五十両の大枚の銀貨がどこへ行ってしまったかはだいたい見当がついた。県城の役人たちと梁家の執事や使用人たちが、手間賃を差し引いて行き、枕元に届くときにはもう一両の銀も残ってはいなかった、というわけだ。新品の袍はたぶん、そのうちの誰かが良心のとがめにあって、付け足したおまけだろう。

その夜、春児は熱にうなされながら、小役人たちが自分の体を貪り食っている夢を見た。そして実際に春児の体を食い散らかした連中は、その後とりたてて何をしてくれるというわけではなかった。

夏も終りに近い雨上りの朝、春児は新しい袍を着、「宝貝《パオベイ》」の入った瓶を腰にくくりつけてそっと家を出た。路銀は一文も持っていなかったが、おもらいをしてでも都にさえ行けば何とかなると思った。

村はずれにさしかかったとき、ぬかるみの街道をこけつまろびつしながら、妹が後を追ってきた。

「行かないでよお、雲《ユン》にいちゃん。行かないでよお、お願いだからあ」

泥に足を取られて立ちすくみ、玲玲《リンリン》は声をふり絞っていた。かまわずに立ち去ろうとすると、小さな唐子髷《からこまげ》を結った頭をぬかるみにこすりつけて、妹は叫ぶのだ。

「行かないでよお、行かないでよお」、と。

あの時と同じだ、と春児《チュンル》は思った。三哥《サンコオ》が家を出て行く方しれずになった朝、自分もやはり村はずれのこのあたりまで後を追って、泥にまみれながら叫んだのだった。

「行かないでよお、行かないでよお」、と。

春児はぬかるみの道を引き返し、玲玲《リンリン》を泥の中から抱き上げた。

こわれた泥人形のような妹を力いっぱい抱きしめて、春児は何かを言わねばならないと思った。あのとき自分を抱きしめてくれた三哥は、何も言ってはくれなかった。何も言わずに去ろうとする兄が、とても悲しかったからだ。

「泥んこじゃないか、玲玲。これじゃ虫けらとおんなじだ」

言ってしまってから春児は唇を嚙んだ。たしかに虫けらとどこもちがいはしない。雪が降れば凍《こご》え死に、水が出れば流され、日照りの夏は灼《や》かれてしまう、俺たちは涙を流す虫けらだ。

明日からは自分のかわりに麻袋を引きずって糞拾いをしなければならない妹を抱きしめ、春児は泥まみれの顔を舐《な》めた。

額も頬も瞼もきれいに舐めつくすと、口の中は土と石でいっぱいになった。そして吐き出そうとはせずに、石を嚙み砕き、泥を呑み下した。

「おなかへってるの、にいちゃん」

春児の腕からすり落ちて、逃がすまいとするように腰を抱きながら、玲玲は兄を見上げた。

「へるもんか。きんたまがなけりゃ腹もへらねえんだ」

「うそ。あたしもかあさんも、おなかはへるもの」

乱暴にふりほどくと、玲玲は懸命に兄の足にすがりついた。

春児は鈍色《にびいろ》の空を見上げ、誓うように言った。

「おいらは三哥みてえに行ったきりにはならねえ。いつかきっと、銭をたくさん持って、家来を大勢つれて帰ってくる」

玲玲はあきらめたように手をほどくと、泥だらけの懐をまさぐった。兄の目の前に開かれた小さな掌の中には、一枚のすりへった銅貨があった。

押し返そうとして、鋳《い》こまれた文字に春児は目を止めた。

「乾隆、だって――」

一夜の旅籠《はたご》代にもならぬその穴あき銭には、乾隆通宝という字がかすかに読みとれた。

「それで、何か食べてよ。ねえ、食べてよ」

言いながら玲玲《リンリン》は、顔も被《おお》わずに大声で泣き出した。

「これは遣えねえや。こいつはきっと、おいらの種籾《たねもみ》だ」

銅貨を握ると、ふしぎな勇気が湧いた。

「待ってちゃいけねえんだ。走って行って捉まえなきゃ。おいらは男だから、口がさけたって、没法子《メイファーツ》だなんて言っちゃいけねえんだ。待ってちゃいけねえんだ！」

春児《チュンル》はぬかるみの中を駆け出した。銅貨を手にしたとたん、こみ上げていた涙が嘘のように引き、胸に火がついたような気がした。

「待ってろ、玲玲！　にいちゃんはきっと、家来を大勢つれて、杏色《あんずいろ》の轎《かご》に乗って帰ってくるからな。銭をいっぱい持って帰ってくるからな！」

妹は街道の端が地平に消えるまで、湿原にたゆとう一輪の花のように、ぼんやりと佇《たたず》んでいた。


——あてどもなく夜の胡同《フートン》を徨《さまよ》いながら、ふと春児は見覚えのある路地にさしかかって足を止めた。

鉤《かぎ》の手に折れ曲がった辻の先から、嘆くような胡弓の音が聴こえてくる。

いつかの晩と同じだ。まるで自分が目に見えぬ力に引き寄せられてきたような気がして、春児は怖ろしくなった。

一晩中歩いても決して同じ道はたどるまいと思われるほど、網の目のように入り組んだ胡同のひとところに、自分はまたしても立っている。

時刻もあの晩と同じころであろう。

怯えながら、それでも春児の足は胡弓の音色に向かって進んで行った。

やはりあの晩と同じように、盲目の老人は朽ちた車の荷台に座って、誰が聴くでもない胡弓を弾いていた。

落ち窪んだ眼窩《がんか》を満月に向けて、老人は腕の動きを止めた。

「やあ、また来たか——」

春児は老人の足元に屈みこんだ。

「どうしておいらだってわかるのさ」

「わかるさ。目の見えぬ分、耳も鼻もたしかじゃよ」

老人は皺だらけの顔に垂れ下がった鼻先を、獣のように蠢《うごめ》かせた。

「ああ……何ということじゃ。おぬし、浄身《チンシェン》したか」

春児は愕《おど》いて老人の顔を見上げた。

「どうして、わかるの」

「わからんでか。わしはかつて後宮《こうきゅう》五千人の閹人《イエンレン》の頭。老仏爺《ラオフオイエ》様の御寵愛を独り占めにした安徳海《アンドーハイ》じゃぞ。しかしまあ……なぜじゃ」

「やぼなこと聞くなよ、おじいさん。理由は誰だって同じだろうに」

老人は溜息まじりに、声にならぬ愚痴を呟き続けた。時おり押し黙って夜空を仰ぐのは、いつかの晩の会話を思い返しているにちがいない。

「怖ろしいことじゃ。どうやらおまえは、本気で龍玉《ロンユイ》を手に入れるつもりじゃな」

「天がそう決めたんだよ。おいらが決めたことじゃねえ」

「ううむ。そう面と向かって言われては返す言葉もないが。しかし世の中には思いこみということもままあるぞ」

「なめるなよ、じいさん」

と、春児《チュンル》は気色ばんで、懐から銅貨をとり出した。

「それはやらないぜ。見せるだけだ」

手渡された銅貨を爪の先でまさぐりながら、老人はぎょっと手をすくめた。

「これは乾隆銭ではないか。こんな古いものを、どこで手に入れた」

「県城の役人が持ってきた銭の中にあったんだよ。値打なんかねえけど、種籾《たねもみ》にしようと思って」

　老人は銅貨をいちど額に押し戴いてから、ていねいに春児の手に返した。

「畏れ入ったわい。乾隆大帝がおまえをお導きになっているということか」

「そうさ。きっとそうにちげえねえ。これを握ると、何だか力が湧くんだ。腹がへったって、疲れてぶっ倒れそうになったって、こいつに触ればしゃんとするんだ。でも――この先どうなるものだか、おいら、さすがに歩きくたびれた」

　春児は老人と並んで荷車に腰を下ろし、両手を枕にして仰向けに寝転ばった。麻袋の中で、瓶がからりと乾いた音をたてた。

「おや」、と老人は春児の荷物を手で探った。

「おまえ、刀子匠《タオヅチヤン》の世話にはならなんだか。宝貝《パオベイ》を持ち歩いているようじゃが」

「うん。畢五《ピイウー》のやつ、手術代を払うか借金の保証人をつけろって言いやがった。そんなものがあるぐれえなら、はなから苦労はしねえよ。だからおいら、家へ帰って自分でやっちまった」

　老人は呆れたように身を引いた。

「なんと。自分の手でか。これは愕いた子供だわい。父親の手は借りなんだか」

「男手はねえんだよ。まさかおふくろや妹にやらせるわけにゃいかねえだろう」

「気丈なやつじゃ。さぞ苦しんだであろうが」

「そりゃもう、痛えのなんのって。気を失ったらおしまいだと思うから、棒きれを口に噛んでさ——ああいやだ。思い出したくもねえ」

老人は信じ難いものを確かめるように、春児《チュンル》の股間を痩せた手でまさぐり、もういちどふうっと息を洩らした。

「で、この先どうするつもりじゃ」

「働き口を見つけなきゃ。つてがあるわけじゃねえから、これからもういっぺん畢《ピイ》五《ウー》のところに行って頼んでみようと思うんだ」

「それは、いかん」

と、老人は首を振った。

「どうして？」

「刀子匠《タオヅチヤン》はみな守銭奴じゃ。貧しい男たちゃ何もわからぬ子供を浄身《チンシエン》し、あれこれと理由をつけては一生を借金で縛りつける。手術代で稼ごうなどという殊勝な刀子匠は一人もおらぬわ。ことに、西華門《シーホワメン》の畢五は悪どい。奴らが預かる宝貝《パオベイ》は宦官《ホアンクワン》たちにとって命と同じじゃ。それがなければ——」

と、老人は愛《いと》おしむように春児の麻袋をさすった。

「それがなければ仕事にもありつけぬ。よしんばありついても生涯出世は叶わぬ。おまけに死んだら、来世では雌の騾馬《らば》じゃ。だから手術代のほかに、貸出し料だの預り賃だの、借金はどんどん増えて行く」

「でも、おいらはもう自分でやっちまったんだし、借金なんかすることないよ」

「甘いな。畢五にしてみれば手術の手間が省けただけのことじゃ。やれ仕度がどうの役人へのまいないがどうのと言って、宝貝をおまえから取り上げる。あとは同じことじゃよ。仕事にはありつけるかも知らんが、おまえは一生、畢五に給金のほとんどを持って行かれる。それにしても——おまえは運が強い。もしここでわしとまた出会わなんだら、畢五の思うつぼじゃったろう」

春児は畢五の家の天井に吊り下がったおびただしい数の瓶を思い出した。そういえばそれらの中には、ひどく古ぼけた、時代のかかった代物もあった。

「一生かかって、畢五に借金を返すの？」

「そうじゃよ。わしやあの憎き小李子《シャオリイツ》のように出世をして、畢五から宝貝を買い戻せる者なぞほんのひとつまみじゃ。おおかたは一生、刀子匠に稼ぎを横取りされる。もっとも、みなそれほど長い一生ではないがね」

老人は淋しげに、見えぬ目を胡同《フートン》の涯《はて》に向けた。

「そう……長い一生ではない。不当な借金を返しながらでも、命をつないでおられればましな方じゃ。要領の悪い者や運のない者は、中途で殴り殺される。もちろんそれでも刀子匠《タオヅチャン》たちはいっこうにかまわない。なり手はいくらでもいるのだから」

春児《チュンル》は暗澹《あんたん》となった。あの紫禁城《ツチンチヨン》の後宮は魔窟なのだろうか。

「どうやらわしの言葉が足らなんだようじゃ。ここまで教えておれば、おまえも早まったことはしなかったろうに」

もう引き返すことはできない。春児は荷台に仰向いたまま唇を嚙んだ。満月に照らし上げられた夜空は明るく、星は少なかった。

「昴《すばる》は、どこにあるの――」

誰に訊ねるともなく、春児は口ずさんだ。声はシャボンのような形になって浮き上がり、夜空に吸いこまれて行った。途方に昏《く》れ、荒野にただひとり寝転んでいるような気分だった。

「あまた星々を統《す》べる、昴の星か……さて、どこにあるものやら」

老人は放心した春児を宥《なだ》めるように、静かに胡弓を弾き、細い、消え入りそうな声で唄った。

万歳爺《ワンソイイエ》　万歳爺
哀れな奴才《ヌーツァイ》を　お許し下さい
広大無辺のみめぐみは
天に轟《とどろ》き　地にあまねき

万歳爺　万歳爺
奴才は　口がさけても申しませぬ
乾隆様のお匿《かく》しになった
あの龍玉《ロンユイ》のありかなど

安徳海《アンドーハイ》老人の悲しげな歌は、たしかに打たれながら命乞いをする宦官《ホアンクワン》の声に聴こえた。

唄いおえて弓をおさめると、老人はもう何の希《のぞ》みもないというふうに顎を振った。

「長い時がたった。もうこんな戯《ざ》れ歌さえも知る者はおらんだろう。この安徳海の命も、やがて古い歌とともに真暗な闇に帰る。すべては夢じゃ。さて……夜も更けた。どうやら今宵は一枚の銅貨にもありつけぬらしい」

春児《チュンル》は起き上がって懐を探った。どう探しても銭などびた一文あるはずはない。思いあぐねて乾隆銭を差し出そうとする春児の手をそっと包み止め、老人は見えぬ目をこらして言うのだ。

「もういいよ。おまえは何とやさしい心根の人間じゃろう。自ら男を捨て、すべての希望を失ってもなお、哀れな物乞いに施しをしようとする。もしかしたら、おまえは本当に天の選んだ者かも知れぬ」

老人は胡弓を背に負うと荷台から滑り下りた。石畳をいざりながら、汚れた顔を春児に向ける。

「どうせ行くあてもなかろう。来よ、わしとともに」

春児は骨ばかりの老人の腰を抱え上げ、その指し示すままに闇に向かって歩き出した。

煉瓦と石とでぎっしりと組み上げられた迷路の奥深く、夜空を被い隠す棗《なつめ》の大樹の下に、その崩れかけた楼門は建っていた。

車も入れぬほどの狭い胡同《フートン》に、目を凝らせば同じような古い門がいくつか並んでいた。あたりには月かげも届かず、風すらも動かない。

安徳海《アンドーハイ》老人は真暗な夜道を振り返って言った。

「もともと名もない路地じゃが、人はここを老公胡同《ラオコンフートン》と呼ぶ」

「老公胡同――？」

「そうじゃ。年老いて引退した宦官《ホアンクワン》は、郊外の寺廟《じびょう》で悠々自適の余生を過ごす。だが、老いを待たで病を得たり、打たれて体が不自由になった者には行くあてもない。ここはそうした哀れな太監《タイチェン》たちが、身を寄せ合って暮らす寺じゃ。動けるうちは大道に出て、かつて習い覚えた歌や踊り、まじないや占い、何もできぬ者は物乞いをする。そうやって寝たきりの仲間を養っておるのじゃよ。隣の家も、その隣の家も、そんな太監たちばかりが住もうておる。ここでは城にいたころの位階も名誉も関係ない。身よりのない、もちろん子孫もない哀れな世捨て人たちの家じゃよ」

屋根瓦には夏草が萌えており、煉瓦塀は波打つように歪んでいる。とってつけたように小さな楼門も、押せば倒れてしまいそうに傾いていた。

閉ざされた門扉には古い対聯《たいれん》が書かれているが、時代を経て人の手に触れる部分は腐れ消えている。かろうじて手の届かぬ高さに、書き出しの左右一文字ずつが判読できる。

「富と貴。ずいぶん立派な字だけど、この下には何て書いてあったんだろう」

春児《チュンル》が目を凝らして文字を読むと、老人は感心したように呟いた。

「ほう。おまえは字が読めるのか」

「挙人様に教わったんだ。兄貴が幼なじみだったから。ほんとうはさっき、その人を頼って下宿先まで行ったんだけど……進士に及第したんだよ。すげえだろう」

文秀《ウェンシウ》の笑顔を懐かしく思い出して、春児は悲しくなった。

「ふむ。だが、おまえもこうなっては、もうそやつに頼ることはできんぞ」

「どうして？」

「官吏と太監《タイチエン》との交際は固くいましめられておる。その掟を破った官吏は罷免され、宦官《ホアンクワン》は体を切り刻まれて殺される。ましてや仕事の斡旋などどうしてできよう。だからこそ、畢五《ピイウー》のような輩《やから》がうまい汁を吸うことになるのじゃが」

「何でつき合っちゃいけないのさ」

「それは歴史の示す通りじゃ。天子《ティエンツ》のお側に仕える太監が政《まつりごと》を司る官吏と結託すれば国を動かせる。多くの王朝がその弊害によって倒れた。近くは明朝の王振、汪直、曹吉祥、劉瑾、魏忠賢。みな官吏と結んで政をほしいままにしたのじゃ。そこで順治帝は官吏と太監の交際を固く禁じ、その旨を鋳《い》こんだ鉄牌を内廷の御花園に建てたほどじゃよ。新任の官吏はまずまっさきにそのことを教わるから、たとえおまえが訪ねて行ったところで、進士様は青くなって追い返していたろう」

　老人は夜空を被う棗《なつめ》の大樹を見上げるようにして、剝げかけた扉の文字を指でたどった。

「富と貴。さてその先は何と書いてあったのじゃろうな。立派なはずじゃ、乾隆大帝の御宸筆《しんぴつ》と伝えられておる」

「え？　――うそ」

「本当さ。この寺はの、もともとは怪我や病でお役に立てなくなった宦官たちのために、乾隆様が建てて下すったものじゃ。まさに英主のなせることじゃよ。御筆まで賜り、ときどきお忍びで行幸になることもあったという。この対聯の頭の文字をとって、富貴寺と名付けられた。今となってはおかしな名前じゃが、こんな投げ込み寺のようになってしまったのも、その後の天子がみな愚かであったことの証《あか》しじゃ。それにしても英明なる乾隆大帝のお血筋は、いったいどこに消えうせてしまったものやら……ああ、もうよいぞ。疲れたろう」

　脇を支え上げてきた春児の手がほどかれると、老人の体は石の上に滑り落ちた。横ざまに這《は》って扉を押す。軋《きし》みをたてて、荒れ放題の庭が開かれた。

「ご覧の通り、今ではいわれも忘れ去られ、気味悪がって立ち寄る者もない。もっともわしらにとっては、その方が好都合じゃがの」

富貴寺の小さな中庭は雑草に被われていた。軒の傾いた堂が三方を囲む、寺とは名ばかりの雑院である。得体の知れぬ樽やら大瓶やら荷車の車輪やら、ありとあらゆるがらくたが積み上げられ、あたりは異臭に満ちていた。

「お帰り、安老爺《アンラオイエ》。稼ぎはどうだったね」

窓辺に倚《よ》った影が、たいぎそうに灯を向けた。「おや、お客さんか。これは珍しい」

敷石の上をいざりながら、安老人は春児《チュンル》を紹介した。

「今どき変わった小僧での。どうしても太監《タイチエン》になりたいとかで、己《おの》れひとりで浄身《チンシエン》してきおったのじゃよ。まあ、出会うたのも何かの縁じゃろうし、力になれぬものかと連れてきた」

「なんと！　この暑いさなかにひとりで浄身とは、よくも腐れ死ななんだな」

と、窓の男は灯を振って愕いた。あちこちの窓が開いて、中庭に蠟燭《ろうそく》が向けられた。

「そういえば、まだおまえの名を聞いておらぬ」

母屋の石段に腰を下ろして、安老人は訊ねた。

「——李春雲《リイチュンユン》、って言います」

一瞬、庭を囲むざわめきが静まった。

「ひゃあ、小李子《シャオリイツ》！」

窓の中の男が素頓狂な声を出すと、あちこちからいっせいに笑い声が起こった。

「小李子！　小李子！」

「これは良い。きっと末は大総《ダアツォンクワン》管様じゃ」

「小李子！　双眼の花翎《ホワリン》！」

「哀れな奴才《ヌーツァイ》をお許し下さい、小李子様！」

お道化た声を口にしながら、黒い影がぞろぞろと扉や窓から這い出した。その異様な姿形は、闇の底から魔物が現れ出るようで、春児は思わず老人の背にしがみついた。

忘れ去られた廃疾《はいしつ》の宦官《ホアンクワン》の群である。ある者はいざりながら、ある者は杖にすがりながら、珍しげに春児を遠巻きにした。

「怖れることはない。なりはともかく、みな気だての良い連中じゃ」

安老人は腰の抜けた春児を膝の間にかばうと、ありていにことの経緯を語った。

宦官《ホアンクワン》たちは大いに愕き、どよめいた。

「あの白太太《パイタイタイ》のお告げを受けたと！」

「龍玉《ロンユイ》を手に入れる者じゃとな。これは愕いた」

「しかもたまたま安老爺《アンラオイエ》に出会ったとは、これはただごとではないぞ」

まあまあ、と安老人は弓を振って宦官たちを鎮《しず》めた。

「ともかく、これは仏縁にちがいない。仏縁とあらば、何とかこの小僧に力添えをせねばならんな。われらのつてをもって内廷に送りこむのは、それは簡単じゃが」

春児《チュンル》はぎょっと気を取り直した。

「えっ、ほんと？　だったら頼むよ。おいらを老仏爺《ラオフオイエ》のところへ連れて行っておくれよ」

老仏爺と聞いて、人々はまたどっと笑った。

「簡単に言うでない。老仏爺は文字通り仏様じゃ。たとえ後宮に入っても、皇太后《ホアンタイホウ》宮《クン》に仕えるなど、それこそ雲を摑むような話なのじゃぞ。ほとんどの太監《タイチエン》は一生を下働きで過ごすか、中途でへまをやらかして打ち殺される。宦官の道は険しいのじゃ」

春児を取り囲んでいるのは、打ち殺されぬまでも廃人となった宦官たちにちがいなかった。彼らの異形《いぎよう》を見渡して春児が黙りこくると、周囲の笑い声は自然に絶えた。

夜気が重みを増した。

ふと背後の扉が開き、人々の顔がひときわ明るい蠟燭の光に照らされたと思うと、朗々とした若い男の声が響いた。

「皇太后宮への早道は、俺が教えてやろう。なあ、安老爺。それがよかろう」

男は目だけをくり抜いた麻袋を頭からすっぽりと被《かぶ》り、太い蠟燭を据えた輝かしい銀の燭台を両手にかざしていた。

そのまま、男はいきなり安老人と春児の頭上を飛び越え、四度五度とあざやかな宙返りをすると、燭台の灯を一本も消さぬまま、すとんと楼門の前に立った。

人々はやんやと喝采を送った。

「うわ、すげえや――」

仰天する春児を睨みながら、男が舞台の上にあるように派手な見得を切ると、人々はまるで銅羅《どら》や鉦《かね》を打ち鳴らすように、あたりの瓶を叩いた。

間合よく安老人が華やかに胡弓を鳴らした。

「みごとじゃ、黒牡丹《ヘイムータン》！」

「さすが南府劇団の立役者」

「今をときめく楊月楼《ヤンユエロウ》も譚鑫培《タンシンペイ》も、ものの数ではないわ」

「まさに名優じゃわ！」

黒牡丹《ヘイムータン》と呼ばれた覆面の男は、喝采に答えるようにその場でもういちど宙返りをした。銀の燭台を両手に握ったまま、まるで体だけが饂飩《うどん》のようにくるりと回った。

「やあ、わしもひとめ見たいものじゃのう」

と、安《アン》老人は盲《めし》いた目をこすりながら言った。

「黒牡丹——すごい名前だね」

「南府劇団ではとびっきりの武者役じゃった。いわゆる義士物——緑牡丹《リュイムータン》ものをやらせれば天下一品じゃったから、誰が名付けたものか人呼んで黒牡丹。そう、やつはいつも真黒で怖ろしげな隈取りをしておったからな」

「へえ、京劇の役者さん」

「そうだ。それもそんじょそこいらの見世物小屋にかかる安い芝居とはわけがちがうぞ。老仏爺《ラオフオイエ》様の劇団、宮中の宦官《ホアンクワン》たちだけで演じる南府劇団の花形じゃ」

黒牡丹は燭台をかざしたまま、ゆっくりと石畳の上を近寄ってきた。いかにも舞台で鍛え上げた張りのある声が、わんわんと中庭に谺《こだま》した。

「老仏爺様のお側に上がるには、これが一番。なにしろ三日に一度は芝居を見ねば、夜も寝られんお方じゃからな」

宦官たちはみな低い声で笑った。笑いながら、ひとりひとりが呟いた。

「それに引きかえ、わしは二十年も掃除ばかり」

「やれやれ、俺は炭を切ってばかり」

「なんの、わしなぞ洗濯ばかりで三十年。あげくのはては足を折られてお払い箱だ」

人々は己れの人生を嘲《あざけ》るようにまたひとしきり笑ったが、その声にはふしぎな明るさがあった。

意味がわからずにとまどう春児《チュンル》の肩を、安老人は膝の中に抱きすくめ、言いきかせるように呟いた。

「何も知らんようじゃの。つまりじゃ、後宮の太監《タイチエン》たちには二十と四の仕事場がある。いわゆる内廷二十四衙門《がもん》と呼ばれるものじゃ。直殿監《ちょくでんかん》は御殿の掃除ばかり、惜薪司《せきしんし》は薪《まき》と炭の用意ばかり、浣衣局《かんいきょく》は洗濯ばかり。これではいかにまじめに務めようと、老仏爺様や皇上《ホアンシャン》陛下のお目に止まるわけがない。その理屈で言えば、たしかに南府劇団の役者は出世の早道じゃろうな。なにしろ三日に一度は暢音閣《チャンインコオ》の三層舞台で老仏爺《ラオフオイエ》様の御前《ごぜん》に出る。たとえ馬の脚でも、その他おおぜいの兵隊役でもな。運良く役がついて、おめがねに適えば、『あの者は何と申す。なに、李春雲《リイチュンユン》とな。苦しゅうない、明日より皇太后宮《ホアンタイホウクン》に出仕させよ』とあいなる」

冗談めかして安《アン》老人が笑うのは、そういう旨《うま》い話もないわけではない、というほどの意味なのだろう。

宦官《ホアンクワン》たちは笑いながら、夢見るように眩しげな目を春児《チュンル》に向け続けていた。

「でも、だったら何で黒牡丹《ヘイムータン》はお払い箱になったんだい。足も折られちゃいないし、上手にとんぼも切れる。楊月楼《ヤンユエロウ》や譚鑫培《タンシンペイ》だって目じゃない役者なのに」

春児がそう言って目の前に立つ黒牡丹を指さすと、あたりは急にしんとなった。

「ああ、それはじゃな……」

安老爺《アンラオイエ》は口ごもり、見えぬ目を黒牡丹に向けた。

黒牡丹はしばらくの間、麻袋の中の目で春児を睨みつけていたが、思い定めたように膝をつき、燭台を石の上に置いた。

「俺はたしかに天下一の役者だった。老仏爺は芝居がはねると、技を競わせた京師の名優たちを御前に招いてこう言ったものさ。『あんたたちは何てへたくそなの。

うちの黒牡丹の足元にも及ばないわね！』となﾞ」

人々が声を殺して笑ったのは、黒牡丹の声色《こわいろ》がよほど老仏爺に似ていたからにちがいない。黒牡丹はまるで台詞《せりふ》でも読むように朗々と続けた。

「そうさ。俺はいつだって、うちの黒牡丹だった。いっときは老仏爺様の持物の中で一番大事な宝物だった。都の女たちがこぞって熱狂する楊月楼や譚鑫培よりも、もっと上手で美しい役者を独りじめにできたのだからな。あっという間に御前太監《ごぜんタイチエン》にまで出世した俺を、老仏爺様は片時も手放そうとはしなかった。俺は夢に見たよ。あの小李子《シャオリイヅ》の後釜は俺にちがいない、いつかはやつに代わって大総管《ダアツオンクワン》の轎《かご》に座ってやる――そうさ。俺は老仏爺の第一のお気に入りだった。こうなるまではな」

黒牡丹はいきなり、頭をすっぽりと被っていた麻袋をはぎ取った。蠟燭に照らし出されたものは、醜く膿《う》み爛《ただ》れ、表情も摑《つか》めぬほどにひきつった怖ろしい顔だった。

春児は叫び声を上げて目を被った。

「癩《らい》の病だ。手指も足指も、もう満足に動きゃしねえ。だから、あれっぽかりのとんぼしか切れやしねえんだ」

いまいましげに言うと、黒牡丹《ヘイムータン》は痩せた手を伸ばして春児《チュンル》の腕を握った。

「びくびくするな小僧。おまえが本当に天命を受けた者なら、癩の病もうつるはずはなかろう」

怯える春児の手首を曲げ、肘を折り、肩を背の後ろに捻じ曲げてから、黒牡丹は血膿の中に目ばかりのらんらんと光る爛れ顔を、安老爺《アンラオイエ》に向けた。

「どうだね、黒牡丹。使えそうか」

「ああ、悪くない。関節は柔らかいし、体も小さい。声変りもまだのようだから、今のうちに潰しておけば、高いいい声になるさ」

春児は黒牡丹の手をふりほどいて、安老人の胸の中に逃れた。

「なんだよ、なにするってんだよ。おいら役者なんぞになれねえよ」

「いいや」、と黒牡丹は甲高い舞台の声で言った。

「まちがいない。おまえはたまたま安老爺と出会い、俺はたまたま死なずにおまえを待っていた。この偶然を、ほかにどう説明できる」

いつの間にか何十人もの宦官《ホアンクワン》たちが、春児のまわりをぐるりと取り巻いていた。彼らはみな、ふしぎな微笑を泛《う》かべている。まるで生れ落ちた赤児を愛おしむように、小さな星空を背にして笑いかけている。

「昴《すばる》を摑め、春児——」

安徳海《アンドーハイ》老人は胡弓の弓弦《ゆづる》を、天の一角に向けた。

二十一

光緒十二年の夏はいつにも増して長く、暑かった。

河北一帯は今年もまた大旱魃《だいかんばつ》に襲われ、秋の収穫は期待できまいと都人たちは噂し合っていた。

西太后《シータイホウ》と光緒帝が関外熱河《ルーホー》の避暑離宮から回鑾《かいらん》する日が例年より遅れたのも、都の暑気の冷めるのを待っていたからに他ならない。

一夏を都に居残って編纂《へんさん》事業に打ちこんでいる翰林院《ハンリンユアン》の学士たちにとって、回鑾の遅れは願ってもないことなのだが、一方ではこの世情不安の折によくもまあのんびりと避暑などしておられるものだ、という憤懣《ふんまん》も囁かれていた。

国政を動かす軍機大臣たちはそっくり熱河に随行しており、留守居役は清仏戦争の事後処理を一任されている醇《チュン》親王奕譞《イーシユアン》である。

これではまるで国家の機能が一夏のあいだ停止しているも同然だった。しかも優柔不断の醇親王ひとりでは、肝心のフランスとの戦後交渉すら何ひとつ進捗《しんちょく》しない。

誰もが複雑な気分で秋風を待っていた。

最上位の成績で進士登第を果たした三人の若者が西太后の拝謁を許されたのは、回鑾からさらに十日ほど経ったころである。

本来なら春の終りに行われるはずのものが、思いがけぬ早い夏の到来で肝心の西太后が都を逃げ出したために、およそ四ヵ月も遅れてしまったことになる。

拝謁は西太后の垂簾聴政《すいれんちょうせい》の場である、内廷養心殿の東暖閣で行われた。

養心殿は雍正帝が政務を執る場所と定めて以来、百六十余年にわたって七人の皇帝が日常の執政を行ってきた帝国の政治中枢である。しかし同治、光緒の幼帝が続き、長く皇太后《ホアンタイホウ》が政務を後見するに及んで、その東側の東暖閣と呼ばれる小殿がいわゆる垂簾聴政の場となっていた。

三人の進士は長いこと床に膝をついたまま待たされた。狭い殿内には風も通らず、不自然な姿勢のまま皇太后の出御《しゅつぎょ》を待つのは苦行である。

彼らを引率してきた礼部尚書と、陪席の醇親王は軒先で立話をしているが、まさか新任の進士たちにその真似はできない。足が痺れ、朝服の背に汗が伝うほどに、梁《リアン》文秀《ウエンシウ》は不愉快になった。

「どうなってるんだ、いったい――」

顎の先から汗を滴らせながら、王逸《ワンイー》がいまいましげに呟いた。

「翰林院《ハンリンユアン》でわけのわからん仕事をさせられているのと同じだよ。ここでは時間が止まっているのさ」

文秀《ウェンシウ》は軒先の大臣たちをちらりと振り返って答えた。二人の間に挟まった順桂《シュンコイ》だけは、生真面目に黙っている。

東西に細長い御殿の東奥に、質素な木造りの玉座が置かれており、その背後の薄絹の垂れ幕の中に、黄緞《おうどん》を張った立派な玉座がもうひとつ据えられている。手前の小さな玉座は皇帝のもので、奥の大きな玉座が西太后《シータイホウ》の御座所であるらしい。

外朝の絢爛《けんらん》はどこにも見当たらず、色らしい色といえば天井から吊り下がった朱と黄の宮灯ぐらいのものである。いかにも質朴を旨とした康熙帝の書斎、さらに禁欲的であった雍正帝の好みというべきであろう。

「咋《チャー》！」

と、ようやく皇太后《ホアンタイホウ》の出御を報せる太監《タイチエン》の甲高い声が響いた。

宰相と礼部尚書は背を屈《かが》めて殿内に走りこむと、三人の前に膝を折って垂簾と向き合った。

「老祖宗《ラオヅツオン》様、お成りです」

御前太監が黒子のように這いながら言った。一同は床にひれ伏した。

本殿に轎《かご》をつける気配がし、太監たちの「咋！」という奇妙な声が連呼された。

やがて衣ずれと木靴の音が近付いてきた。

垂簾の奥に入った足音はひとつではない。

上目づかいに一瞥《いちべつ》したとたん、醇《チュン》親王と礼部尚書はわずかに顔を見合せた。

一同は立ち上がって三跪九拝《さんききゅうはい》の最敬礼をした。垂簾の中の玉座には黒衣の西太后が座っており、その両脇には侍仏のように二つの影が佇《たたず》んでいる。

礼が終ると、太監たちが薄絹を左右に引き開けた。おびただしい白檀《びゃくだん》の香《こう》が毒のように溢れ出た。

「たいぎじゃ。皆の者、おもてを上げよ」

ゆったりと、唄うように西太后は言った。

跪《ひざまず》いたまま、文秀は間近に老仏爺《ラオフオイエ》と呼ばれる支配者に向き合った。

美しい貴婦人である。

寡婦の定めに従って化粧はしていないはずだが、五十二歳という年齢にそぐわぬほど色白の、細やかな肌がまず目を奪った。顔立ちは満洲婦人特有の、くっきりと凛々《りり》しい造作である。

衣類も寡婦の黒衣で、ほかに身を飾るものといえば大粒の真珠を列《つら》ねた首飾りと冠ばかりだった。しどけなく肘置きに置かれた両手の薬指と小指には、異様に長い爪被《つめおお》いがかぶせられていた。紗《しゃ》の衣の黒さが、端正な顔の白さをいっそう際立たせている。

いずれにしろ巷間《こうかん》うわさされているところの、男まさりな印象はない。老仏爺《ラオフオイエ》――慈悲深いみ仏さま、と言われれば、確かにそれにふさわしい気がする。

皇太后《ホアンタイホウ》は太監《タイチエン》から奉呈された三葉の緑頭籤《りょくとうせん》を、やや遠目にして読んだ。緑色の房飾りのついた札には、引見する者の姓名と履歴が記してある。

「いずれも若い。かように二十歳《はたち》ばかりの若者が三元に名をつらねたためしを、予は知らぬ。これは良きことじゃ。多年にわたり、帝を扶翼《ふよく》し奉ることであろう」

皇太后の声は惑いのない弦《つる》の音のように、高く快かった。

「老祖宗《ラオヅツオン》様の有難きお言葉であるぞ。心して承《うけたまわ》れ」

大総管《ダアツオンクワン》の李蓮英《リイリエンイン》が、玉座のかたわらから声をかけた。

体をこわばらせたまま、三人は額を床に押し当てた。西太后《シータイホウ》が彼らに語りかけた言葉は後にも先にもそれだけである。

ふと、西太后は進士たちの前にかしずく醇《チュン》親王を睨みつけた。

「おや、醇王。妙な顔をしておるが、何か不満なことでもあるのか」

二人の大臣は狐につままれたように、玉座の脇に立つもうひとりの男を見つめていたのだった。

醇親王は我に帰って、しどろもどろに答えた。

「いえ……栄禄《ロンルー》将軍が老祖宗のお側におられるとは、余りに思いがけぬことゆえ、いささか愕《おどろ》きました」

「べつに愕くことはあるまい。予が陪席を許したのじゃ」

「はあ……して、老祖宗はいつの間に将軍の罪をお許しになられましたのか。とんと聞き及んでおりませぬが」

醇親王の今にも消え入りそうな声を、李蓮英が威丈高に遮った。

「御前にござりまするぞ、殿下。お謹みなされませ」

親王はほんの一瞬、李蓮英を睨み返したが、すぐに萎《な》えしぼんだように頭を垂れてしまった。

栄禄——その悪名には、文秀も聞き覚えがあった。

満洲正白旗、瓜爾佳《グワルギャ》氏の一族で西太后の側近である。禁衛軍の一将校から抜擢され、西太后《シータイホウ》の威令の天下に行きわたるほどに、数々の要職を歴任した。しかしその身辺には常に黒い噂が絶えず、とうとう数年前に汚職収賄のかどで革職され、都から追放されていたはずであった。

醇《チュン》親王が黙りこくってしまうと、その疑念を引き継ぐように老いた礼部尚書が言上した。言葉は丁寧だが、どうあってもこれだけは許し難いというふうである。

「老祖宗《ラオツッオン》様の御寛容はまさに慈母観音の如く宏大無辺にあらせられまする。われらがただいま愕きましたのは、老祖宗様のその御慈悲の余りの寛大さに畏《かしこ》み入りましたるゆえにござりまする。さりながら、亡き咸豊陛下の御弟君にあらせられ、今や軍機国政を総理なされる醇親王殿下が、栄禄《ロンルー》将軍の復権をご存じないとは、いささか不都合と思われまするが」

大臣の物言いには、精一杯の厭味がこもっていた。醇親王の背は慄えている。跪《ひざまず》いた長靴《ちょうか》の爪先で大臣の衣の裾をまさぐり、やめておけと合図するさまが進士たちにも見てとれた。

「おだまり」

と、皇太后《ホアンタイホウ》は世界中にそう命ずるほどの威圧的な声で、ひとこと言った。とたんに二人の大臣の首は亀のようにすくみ上がった。

「痴《し》れ者め。予の意に口をさし挟む者があるか。いわんやここは新進士謁見の場であるぞ。意趣あらばこれにおる大総管太監《ダアツォンクワンタイチエン》を通じて上奏せよ」

皇太后は不快な表情で玉座を立った。浅黒い顔に微笑を泛《う》かべた李蓮英《リイリエンイン》が、ことさら胸をせり出してその後に続いた。

「咋《チャー》！」

皇太后の動座を告げる太監たちの声が、行く手を開くように叫びつながれていった。

少し遅れて御簾《みす》をくぐり出た栄禄将軍は、玉座の下に平伏する二人の大臣の前で立ち止まった。顔を上げ、睨み返す醇親王を見くだしながら、栄禄は低い声で呟いた。

「老祖宗様はまだ轎《かご》にお乗りになってはおられませぬぞ、殿下。お控えめされよ。頭《ず》が高い」

栄禄の長靴は醇親王の指先を踏みつけていた。

愕いて目を上げた文秀《ウェンシウ》を、栄禄の暗い三白眼がねめつけた。

齢のころは醇親王よりいくつか上——五十ばかりであろうか。しかし色黒の脂ぎった顔は獣のような精力に満ちており、小肥りの体はたくましい。すべてが、貴公子然とした醇《チュン》親王とは好対照である。

口元には笑みをたたえているが、上瞼の垂れ下った三角型の目は、少しも笑ってはいない。野卑で不遜な顔であった。

自分がそうして親王の指を踏みつけているさまを、栄禄《ロンルー》は若い進士たちに見せつけているにちがいなかった。

醇親王と礼部尚書の背は、先ほどまでは畏れのために、今は怒りと屈辱のために慄えていた。

栄禄は低い、精気に満ちた声で誰に言うともなく言った。

「恭邸《クンチー》、醇邸《チュンチー》の両宮が老祖宗《ラオツッオン》様の左右に侍っておったのも、今は昔じゃ。恭殿下はフランスとの戦後処理に手間どって革職されたそうな。すると——いよいよ醇殿下のお手並拝見というところだが、さて、いかがなものかのう」

老大臣がたまりかねて顔を上げた。

「栄禄殿、不敬でござりまするぞ。醇殿下はいやしくも今上《きんじょう》陛下の御実父、乾隆大帝の御曾孫にあらせられます」

栄禄は少しもたじろがず、冷酷な感じのする薄い唇をひしゃげて笑い返した。

「それがどうした、おいぼれ。乾隆様の御名を口にすれば、わしがひるむとでも思うてか。死せる神より尊いものは、生ける仏じゃわい」

栄禄はそう言って醇親王の指を踏みにじり、礼部尚書の顔をかえす膝頭で蹴って退室して行った。

「何たる非礼！　何たる無道！　言うにこと欠いて、真武大帝を死せる神と呼ばわるか！」

ふるい立つ老大臣の衣を醇親王は引き戻した。

「やめおけ――」

「しかし殿下。あのような卑しい衛士《えじ》の成り上り者に、かくも馬鹿にされては黙って見過すわけには参りませぬ。進士の称号すら持たず、そのうえいくたびも職を穢《けが》しては放逐され――」

「わかっておる。わかっておる。ここはやめおけ」

礼部尚書は唇を嚙んで、風にはためく垂簾《すいれん》を見やった。同様に瞳をめぐらせた親王の顔は悲しげだった。

「まことに、あやつは不死身じゃな。このたびこそは二度と都には戻れまいと思っておったが……怖ろしい男じゃ」

鳳輦《ほうれん》の殿から離れる気配がした。

「もうよい。とてもそのような気にはなれぬ」

「お見送りは、殿下」

片膝を抱えて座りこんだまま、醇《チュン》親王はそれだけでも内気な感じのする細い指先を伸ばし、栄禄《ロンルー》の靴裏の汚れを吹き落とすように息を吐きかけた。

「そう——あやつは以前にも、老祖宗《ラオヅツオン》の御推輓《すいばん》に与《あずか》って一介の近衛《このえ》将校から戸部銀庫の員外郎《いんがいろう》に出世したとたん、公金を着服しおっての。時の宰相、粛順《スーシュン》に斬首の刑を宣された。それがどうしたものか、老祖宗のおとりなしで一命を取りとめたのじゃ」

と、醇親王は三人の若者たちを見返って言った。

「あの時も都を追われましたな。ところが隠匿した銀に物を言わせて地方官の官位を買い、のうのうとまた私腹を肥やしておった。で、いつのまにか何事もなかったように舞い戻って来おって」

と、老大臣は詮ない愚痴でも言うように呟いた。醇親王はふと天井を見上げた。

「ふむ。いつのまにか、というより、栄禄はそのあたりの立ち回りがうまいのじゃ。わが兄咸豊帝崩御《ほうぎょ》のどさくさに、粛順めらが謀反《むほん》を企てた。あやつはそれをまっさきに察知して、老祖宗に進言した。まあ、手柄と言えばそうじゃが」

「まさしく、まっさきに、でしたな」

「味方を募ろうとするあまり、あの栄禄にまで気を許したのが粛順の甘さじゃ。栄禄にしてみれば老祖宗の信頼を回復するのと過年の恨みを晴らすのと、まさに一石二鳥じゃった」

「あとはとんとん拍子。禁衛軍の総兵にまで累進し、それでも飽き足らずに工部侍郎、工部尚書と――そんな法外な出世をお許しになられた老祖宗様はいったい何をお考えになっておられたものやら」

　老大臣と親王は顔を見合せ、同時に深い溜息をついた。いかにも栄禄の剛腕には歯が立たぬ、というふうである。

　文秀《ウェンシウ》は小声で質問した。

「武門の者が大臣に累進するというのは、異例でございましょう」

「もちろんじゃ」と、親王は本殿に立ち働く宦官《ホアンクワン》たちを気にしながら声をひそめた。

「本来それをさせぬのが、わが文治国家たる面目じゃよ。その昔、乾隆様は股《こ》肱《こう》と恃《たの》まれた兆恵《チャオホイ》将軍ですら、八旗都統大将軍の地位の他はお授けにならなんだ。武人でありながら工部尚書の位に固執した栄禄は慮外者《りょがいもの》じゃ。なぜそうまであやつが大臣の椅子を望んだか、わかるであろう」

「いえ――武人としては大将軍の方が名誉であると思いますが」

「それが栄禄《ロンルー》の節操のなさじゃ。よいか、工部尚書は土木、建築、灌漑《かんがい》といった大がかりな事業を司《つかさど》る。すなわちその気になれば公金の着服など思いのまま、地方からの賄《まいな》いにも不自由はない。あやつはその利権が、咽《のど》から手の出るほど欲しかったのじゃ。まあ――そうなってからはやりたい放題。まさに態手で金をかきこむようなふるまいじゃった」

怒りをあらわにして、王逸《ワンイー》が口を挟んだ。

「それはひどい。そのような悪業三昧を、どなたもおとがめにはならなかったのですか」

答える醇《チュン》親王の口調は、いささか他人事のように聞こえた。

「もちろん問題にはなった。じゃが何と言っても栄禄は老祖宗《ラオツッオン》の腹心じゃ。弾劾《だんがい》するのはことほどさように容易ではない。そこで重臣一同、協議のうえわが兄恭《クン》親王がその旨を老祖宗に奏上したのじゃ。恭王は文武百官の信頼も厚く、政治的手腕も人望も、弟のわしとは較べものにならぬ。それを老祖宗に面と向かって言うことのできるのは、兄をおいて他にはなかった――」

醇親王が恥じらうように言い淀むと、礼部尚書が言葉を添えた。

「誠に畏れ多いことではございまするが、道光陛下が恭殿下を世継ぎに立てられておられれば、世の中は変わっておりましたな」

「そう。少なくともあの老祖宗の出番はなかった。さすれば栄禄めも、李蓮英《リイリエンイン》も世には出られぬ」

「ご気性の激しい恭殿下よりも温厚な咸豊陛下をお選びになったのには、御父君としてのお考えもおありだったのでしょうが」

「――温厚すぎたわ。そもそも政《まつりごと》に興味のない兄であった。おそらく、このわしに輪をかけてな」

醇親王の無気力な横顔を見つめながら、文秀《ウエンシウ》は西太后《シータイホウ》が権力を持つに至った経緯を何となく理解した。本来は夫帝のなすべき国事を切れ者の側室が代行し、夫の死後、同治、光緒と幼帝の続くうちに、太后の権威は確固たるものとなったのだろう。

「栄禄の件について、恭王と老祖宗のやり合うさまは、いま思い出しても体の慄えるほど凄まじいものじゃった。もともと老祖宗は恭王の実力を怖れておった。だからこそ、同治先帝が御歳わずか十九歳で崩御されたのち、あえてわが醇王家から幼い載湉《ツアイテン》を光緒帝として立てたのじゃ。わかるであろう。もし恭親王家から天子《ティエンヅ》が立ったとあらば、兄は宰相にして摂政《せっしょう》監国王ということになり、もはや老祖宗《ラオツッオン》の出る幕はなくなる——」

「殿下、何もそのようなことまで……」

老大臣は醇《チュン》親王の饒舌《じょうぜつ》を戒めた。

聡明な進士たちがそこまで聞けば、政争の舞台裏をあらかた理解してしまうのは当然である。

つまり、西太后《シータイホウ》は栄禄《ロンルー》の悪事をかばいきれずに、いっとき恭親王の建言に屈した。栄禄は再び都から追放された。

しかしほどなく、恭親王は清仏戦争の事後処理に手間どったという理由で革職され、栄禄はまたしても復権した。今しがた玉座の脇に立つ栄禄の姿を見て、醇親王と大臣が仰天したのは、宰相の失脚という突然の政変が実は彼らの復讐であったことを知ったからなのだ。

「このたびの件につき、兄に非はない。老祖宗の私怨じゃ。栄禄めの執念じゃ」

「殿下、少々お声が高うございますぞ。内廷は老祖宗様のもの、太監《タイチエン》どもはみな忠僕であることをお忘れになりますな。このうえ万が一、殿下までもが栄禄の罠にからめ取られるようなことになれば、国の行く末は闇となりまする」

「からめ取れるものなら取ってみるが良い。わしは皇帝の実父ぞ」

醇親王は明らかに虚勢を張っていた。

やがて御前太監に促され、親王と大臣は殿を去った。

轎《かご》を見送ってから、三人の進士は重い足取りで外朝へと歩み出た。紅牆《こうしょう》をくぐり抜けると、抜けるような秋空が頭上に豁《ひら》けた。

謁見に向かったときの晴れがましさのかわりに、失望と落胆が若者たちを被っていた。

ずっと口を閉ざしていた順桂《シュンコイ》が、歩きながら思いつめたように言った。

「主客顚倒とはまさにこのことだね。まぎれもなく太祖公の嫡流《ちゃくりゅう》である親王殿下が叩頭《こうとう》なさった相手はいったい誰だ。奸臣《かんしん》と太監。それに下級旗人あがりの女。これじゃ孔子様の訓《おし》えも何もあったもんじゃない。この国はもうめちゃくちゃだよ」

複雑な政争の経緯よりもおそろしいものは、今しがた彼らの見た場面である。確かに主客は逆転している。肝心の核の部分において、この国はもはや国の形をなしてはいない。

絶え間ない侵略、異教徒や少数部族の反乱、旱魃《かんばつ》と洪水、癩《らい》や天然痘の流行。都は田畑を捨てて流民となった浮浪者で溢れ返っている。

「これはただの権力争いじゃない——葉赫那拉《イエホナラ》の呪いだ」

そう呟いた順桂《シュンコイ》の顔は青ざめていた。

「葉赫那拉の呪い？　何だよ、それは」

「おいおい、しっかりしろよ順桂。おぬしらしくもないぞ」

二人から逃れるように順桂は早足になった。

「待てよ、面白そうじゃないか。その呪いとやらを聞かせてくれ」

と、王逸《ワンイー》が追いすがって袖を引いた。

「君らに言うべきことじゃないさ」

「それはないだろう。満洲族だけが知っていればいいってことか。気に入らんな。何百年も漢語を話して、漢字を書いて、今さら満族も漢族もないだろうが」

王逸の手を振り払ってあたりにひとけのないのを確かめてから、順桂は二人を手招いた。

「わかったよ、ご同輩。そこまで言うのなら話してやろう。ただし決して口外してはならないし、もし口外すれば君らの命は保障の限りではない。それでもいいか」

三人はゆっくりと、壁ごしに三大殿を仰ぎ見る外朝の広い道の端を歩き出した。

（2巻につづく）

本書には、癩（ハンセン）病に関して、読者に不快感を与える可能性のある記述がありますが、作品の時代背景、著者に差別助長の企図がないことなどを考慮し、そのままとしました。皆様のご賢察をお願いいたします。
（出版部）

本書は一九九六年四月に小社より刊行されました『蒼穹の昴』上下巻を四分冊にした第一巻です。

|著者|浅田次郎　1951年東京都生まれ。1995年『地下鉄《メトロ》に乗って』で吉川英治文学新人賞、1997年『鉄道員《ぽっぽや》』で直木賞、2000年『壬生《みぶ》義士伝』で柴田錬三郎賞、2006年『お腹召しませ』で中央公論文芸賞、司馬遼太郎賞、2008年には『中原の虹』で吉川英治文学賞を受賞する。『日輪の遺産』『霞町物語』『シェエラザード』『歩兵の本領』、エッセイ『勇気凜凜ルリの色』シリーズなど著書多数。講談社創業100周年記念作品として、本作品、『珍妃の井戸』、『中原の虹』から連なる中国シリーズ最新作『マンチュリアン・リポート』が発売された。

蒼穹《そうきゅう》の昴《すばる》　1

浅田次郎《あさだじろう》

2004年10月15日第1刷発行
2010年12月13日第19刷発行

発行者——鈴木　哲
発行所——株式会社　講談社
東京都文京区音羽2-12-21　〒112-8001
電話　出版部（03）5395-3510
　　　販売部（03）5395-5817
　　　業務部（03）5395-3615

Printed in Japan

講談社文庫
定価はカバーに表示してあります

デザイン—菊地信義
製版——豊国印刷株式会社
印刷——豊国印刷株式会社
製本——株式会社若林製本工場

落丁本・乱丁本は購入書店名を明記のうえ、小社業務部あてにお送りください。送料は小社負担にてお取替えします。なお、この本の内容についてのお問い合わせは文庫出版部あてにお願いいたします。

ISBN4-06-274891-6

講談社文庫刊行の辞

二十一世紀の到来を目睫に望みながら、われわれはいま、人類史上かつて例を見ない巨大な転換期をむかえようとしている。

世界も、日本も、激動の予兆に対する期待とおののきを内に蔵して、未知の時代に歩み入ろうとしている。このときにあたり、創業の人野間清治の「ナショナル・エデュケイター」への志を現代に甦らせようと意図して、われわれはここに古今の文芸作品はいうまでもなく、ひろく人文・社会・自然の諸科学から東西の名著を網羅する、新しい綜合文庫の発刊を決意した。

激動の転換期はまた断絶の時代である。われわれは戦後二十五年間の出版文化のありかたへの深い反省をこめて、この断絶の時代にあえて人間的な持続を求めようとする。いたずらに浮薄な商業主義のあだ花を追い求めることなく、長期にわたって良書に生命をあたえようとつとめるところにしか、今後の出版文化の真の繁栄はあり得ないと信じるからである。

同時にわれわれはこの綜合文庫の刊行を通じて、人文・社会・自然の諸科学が、結局人間の学にほかならないことを立証しようと願っている。かつて知識とは、「汝自身を知る」ことにつきていた。現代社会の瑣末な情報の氾濫のなかから、力強い知識の源泉を掘り起し、技術文明のただなかに、生きた人間の姿を復活させること。それこそわれわれの切なる希求である。

われわれは権威に盲従せず、俗流に媚びることなく、渾然一体となって日本の「草の根」をかたちづくる若く新しい世代の人々に、心をこめてこの新しい綜合文庫をおくり届けたい。それは知識の泉であるとともに感受性のふるさとであり、もっとも有機的に組織され、社会に開かれた万人のための大学をめざしている。大方の支援と協力を衷心より切望してやまない。

一九七一年七月

野間省一

有栖川有栖　幻想運河
有栖川有栖　幽霊刑事《デカ》
有栖川有栖　マレー鉄道の謎
有栖川有栖　スイス時計の謎
有栖川有栖　モロッコ水晶の謎
有栖川有栖　新装版　マジックミラー
有栖川有栖　新装版　46番目の密室
有栖川有栖　篠田真由美　二階堂黎人　法月綸太郎　「Y」の悲劇
有栖川有栖／恩田陸　加納朋子／貫井徳郎　法月綸太郎　「ABC」殺人事件
明石散人　佐々木幹雄　東洲斎写楽はもういない
明石散人　二人の天魔王〈「信長」の真実〉
明石散人　龍安寺石庭の謎〈スペース・ガーデン〉
明石散人　ジェームス・ディーンの向こうに日本が視える
明石散人　謎ジパング〈誰も知らない日本史〉
明石散人　アカシックファイル〈日本の「謎」を解く！〉
明石散人　真説謎解き日本史
明石散人　視えずの魚《うお》
明石散人　鳥玄坊〈根源の謎〉
明石散人　鳥玄坊〈時間の裏側〉

明石散人　鳥玄坊〈ゼロから零へ〉
明石散人　大老猫《だいろうびょう》の外交術〈鄧小平秘録〉
明石散人　日本国大崩壊〈アカシックファイル〉
明石散人　七つの金印〈日本史アンダーワールド〉
明石散人　日本語千里眼
姉小路祐　刑事《デカ》長《チョウ》
姉小路祐　刑事長《デカチョウ》四の告発
姉小路祐　東京地検特捜部
姉小路祐　仮面官僚〈東京地検特捜部〉
姉小路祐　汚職捜査〈警視庁サンズイ別動班〉
姉小路祐　合併裏頭取〈警視庁サンズイ別動班〉
姉小路祐　首相官邸占拠399分
姉小路祐　化野《あだしの》学園の犯罪〈教育実習生　西郷大介の事件日誌〉
姉小路祐　法廷戦術
姉小路祐　司法改革
姉小路祐　「本能寺」の真相
姉小路祐　京都七不思議の真実
姉小路祐　密命副検事
秋元康　伝染歌

浅田次郎　日輪の遺産
浅田次郎　勇気凜凜ルリの色
浅田次郎　四十肩と恋愛
浅田次郎　勇気凜凜ルリの色
浅田次郎　地下鉄《メトロ》に乗って
浅田次郎　霞町物語
浅田次郎　勇気凜凜ルリの色
浅田次郎　福音について
浅田次郎　勇気凜凜ルリの色
浅田次郎　満天の星
浅田次郎　ひとは情熱がなければ生きていけない〈勇気凜凜ルリの色〉
浅田次郎　シェエラザード(上)(下)
浅田次郎　歩兵の本領
浅田次郎　蒼穹の昴　全4巻
浅田次郎　珍妃の井戸
浅田次郎　中原の虹(一)(二)
浅田次郎原作　ながやす巧漫画　鉄道員《ぽっぽや》／ラブ・レター
青木玉　小石川の家
青木玉　帰りたかった家
青木玉　上り坂下り坂
青木玉　底のない袋
青木玉　記憶の中の幸田一族〈青木玉対談集〉

芦辺　拓　時の誘拐
芦辺　拓　怪人対名探偵
芦辺　拓　時の密室
芦辺　拓　探偵宣言〈森江春策の事件簿〉
浅川博忠　小説角栄学校
浅川博忠　小説池田学校
浅川博忠　「新党」盛衰記〈新自由クラブから国民新党まで〉
浅川博忠　自民党幹事長〈二百億のカネ、八百のポストを握る男〉
浅川博忠　小泉純一郎とは何者だったのか
荒　和雄　預金封鎖
阿部和重　アメリカの夜
阿部和重　グランド・フィナーレ
阿部和重　A B C〈阿部和重初期作品集〉
阿部和重　ミステリアスセッティング
阿川佐和子　あんな作家こんな作家どんな作家
阿川佐和子　恋する音楽小説
阿川佐和子　いい歳旅立ち
阿川佐和子　屋上のあるアパート
阿川佐和子　マチルデの肖像〈恋する音楽小説2〉
麻生　幾　加筆完全版 宣戦布告(上)(下)
青木奈緒　うさぎの聞き耳
青木奈緒　動くとき、動くもの
赤坂真理　ヴァイブレータ
赤坂真理　コーリング
赤坂真理　ミューズ
赤尾邦和　イラク高校生からのメッセージ
浅暮三文　ダブ(エ)ストン街道
安野モヨコ　美人画報
安野モヨコ　美人画報ハイパー
安野モヨコ　美人画報ワンダー
梓澤　要　遊部(上)(下)
雨宮処凛　暴力恋愛
雨宮処凛　ともだち刑
雨宮処凛　バンギャル ア ゴーゴー1・2・3
有村英明　届かなかった贈り物〈心臓移植を待ちつづけた87日間〉
有吉玉青　キャベツの新生活
有吉玉青　車掌さんの恋
有吉玉青　恋するフェルメール〈37作品への旅〉
甘糟りり子　みちたりた痛み
赤井三尋　翳《かげ》りゆく夏
あさのあつこ　NO.6〔ナンバーシックス〕#1
あさのあつこ　NO.6〔ナンバーシックス〕#2
あさのあつこ　NO.6〔ナンバーシックス〕#3
あさのあつこ　NO.6〔ナンバーシックス〕#4
あさのあつこ　NO.6〔ナンバーシックス〕#5
赤城　毅　虹のつばさ
赤城　毅　麝《じゃ》香《こう》姫《ひめ》の恋文
赤城　毅　書物狩人《ル・シャスール》
新井満・新井紀子　ハイジ紀行〈ふたりで行く『アルプスの少女ハイジ』の旅〉
新井満・新井紀子　木を植えた男を訪ねて〈ふたりで行く南仏プロヴァンスの旅〉
化野《あだしの》燐《りん》　蠱《こ》猫《ねこ》〈人工憑霊蠱猫〉
化野　燐　白《はく》澤《たく》〈人工憑霊蠱猫〉
化野　燐　渾《こん》沌《とん》王《おう》〈人工憑霊蠱猫〉
化野　燐　件《くだん》獣《じゅう》〈人工憑霊蠱猫〉
化野　燐　呪《じゅ》物《ぶっ》館《かん》〈人工憑霊蠱猫〉
化野　燐　妄《もう》邪《じゃ》船《ぶね》〈人工憑霊蠱猫〉
青山真治　ホテル・クロニクルズ

講談社文庫　目録

青山真治　死の谷'95
阿部夏丸　泣けない魚たち
阿部夏丸　オグリの子
阿部夏丸　見えない敵
青山　潤　アフリカにょろり旅
梓　河人　ぼくとアナン
赤木ひろこ　ひでさん〈松井秀喜ができたわけ〉
朝倉かすみ　肝、焼ける
天野　宏　〈薬好き日本人のための〉薬の雑学事典
阿部　佳　わたしはコンシェルジュ
秋田禎信　カナスピカ
五木寛之　ソフィアの秋
五木寛之　狼のブルース
五木寛之　海峡物語
五木寛之　風花のひと
五木寛之　鳥の歌(上)(下)
五木寛之　燃える秋
五木寛之　真夜中の望遠鏡〈流されゆく日々'78〉
五木寛之　ナホトカ青春航路〈流されゆく日々'79〉

五木寛之　海の見える街にて〈流されゆく日々'80〉
五木寛之　改訂新版 青春の門 全六冊
五木寛之　新装決定版 青春の門 筑豊篇(上)(下)
五木寛之　旅の幻燈
五木寛之　他力
五木寛之　こころの天気図
五木寛之　新装版 恋歌
五木寛之　百寺巡礼 第一巻 奈良
五木寛之　百寺巡礼 第二巻 北陸
五木寛之　百寺巡礼 第三巻 京都I
五木寛之　百寺巡礼 第四巻 滋賀・東海
五木寛之　百寺巡礼 第五巻 関東・信州
五木寛之　百寺巡礼 第六巻 関西
五木寛之　百寺巡礼 第七巻 東北
五木寛之　百寺巡礼 第八巻 山陰・山陽
五木寛之　百寺巡礼 第九巻 京都II
五木寛之　百寺巡礼 第十巻 四国・九州
井上ひさし　モッキンポット師の後始末
井上ひさし　ナイン

井上ひさし　四千万歩の男 全五冊
井上ひさし　四千万歩の男 忠敬の生き方
井上ひさし　ふふふ
井上ひさし 司馬遼太郎　国家・宗教・日本人
池波正太郎　私の歳月
池波正太郎　よい匂いのする一夜
池波正太郎　梅安料理ごよみ
池波正太郎　田園の微風
池波正太郎　新 私の歳月
池波正太郎　おおげさがきらい
池波正太郎　わたくしの旅
池波正太郎　わが家の夕めし
池波正太郎　新しいもの古いもの
池波正太郎　作家の四季
池波正太郎　新装版 緑のオリンピア
池波正太郎　新装版 殺しの四人〈仕掛人・藤枝梅安㈠〉
池波正太郎　新装版 梅安蟻地獄〈仕掛人・藤枝梅安㈡〉
池波正太郎　新装版 梅安最合傘〈仕掛人・藤枝梅安㈢〉
池波正太郎　新装版 梅安針供養〈仕掛人・藤枝梅安㈣〉

講談社文庫　目録

池波正太郎　新装版 梅安乱れ雲〈仕掛人・藤枝梅安(五)〉
池波正太郎　新装版 梅安影法師〈仕掛人・藤枝梅安(六)〉
池波正太郎　新装版 梅安冬時雨〈仕掛人・藤枝梅安(七)〉
池波正太郎　新装版 近藤勇白書(上)(下)
池波正太郎　新装版 忍びの女(上)(下)
池波正太郎　新装版 まぼろしの城
池波正太郎　新装版 殺しの掟
池波正太郎　新装版 抜討ち半九郎
池波正太郎　新装版 剣法一羽流
池波正太郎　新装版 若き獅子
井上　靖　楊貴妃伝
石川英輔　大江戸神仙伝
石川英輔　大江戸仙境録
石川英輔　大江戸えねるぎー事情
石川英輔　大江戸遊仙記
石川英輔　大江戸仙界紀
石川英輔　大江戸生活事情
石川英輔　大江戸リサイクル事情
石川英輔　雑学「大江戸庶民事情」

石川英輔　大江戸仙女暦
石川英輔　大江戸仙花暦
石川英輔　大江戸えころじー事情
石川英輔　大江戸番付事情
石川英輔　大江戸庶民いろいろ事情
石川英輔　大江戸開府四百年事情
石川英輔　江戸時代はエコ時代
石川英輔　大江戸妖美伝
石川英輔　大江戸省エネ事情
石川英輔 田中優子　大江戸生活体験事情
石牟礼道子　新装版 苦《く》海《がい》浄土《じょうど》〈わが水俣病〉
今西祐行　肥後の石工
いわさきちひろ　ちひろのことば
いわさきちひろ 松本　猛　いわさきちひろの絵と心
いわさきちひろ 松本　猛　ちひろへの手紙
いわさきちひろ 絵本美術館編　ちひろ・子どもの情景〈文庫ギャラリー〉
いわさきちひろ 絵本美術館編　ちひろ・紫のメッセージ〈文庫ギャラリー〉
いわさきちひろ 絵本美術館編　ちひろの花ことば〈文庫ギャラリー〉
いわさきちひろ 絵本美術館編　ちひろのアンデルセン〈文庫ギャラリー〉

いわさきちひろ 絵本美術館編　ちひろ・平和への願い〈文庫ギャラリー〉
石野径一郎　ひめゆりの塔
今西錦司　生物の世界
井沢元彦　義経幻殺録
井沢元彦　光と影の武蔵〈切支丹秘録〉
井沢元彦　新装版 猿丸幻視行
一ノ瀬泰造　地雷を踏んだらサヨウナラ
泉　麻人　ありえなくない。
泉　麻人　お天気おじさんへの道
伊集院　静　乳房
伊集院　静　遠い昨日
伊集院　静　夢は枯野を〈競輪躁鬱旅行〉
伊集院　静　野球で学んだこと ヒデキ君に教わったこと
伊集院　静　峠の声
伊集院　静　白秋
伊集院　静　潮流
伊集院　静　機関車先生
伊集院　静　冬の蜻《とん》蛉《ぼ》
伊集院　静　オルゴール

2010年9月15日現在